LE SPLEEN DE PARIS

LES PARADIS ARTIFICIELS

CHARLES BAUDELAIRE

Le Spleen de Paris

Les Paradis artificiels

CHARLES BAUDELAIRE
(1821-1867)

Charles Baudelaire naît à Paris le 9 avril 1821. Il a 6 ans lorsque son père, un prêtre défroqué devenu fonctionnaire, meurt sexagénaire. Sa mère se remarie peu de temps après avec Aupick, un officier qui deviendra général commandant de la place de Paris. L'enfant prend ce beau-père en aversion, et dans les internats où il est pensionnaire, au gré des affectations de son beau-père détesté, il s'ennuie, rêvant d'être « tantôt pape, tantôt comédien ».

Après son baccalauréat, il refuse d'entrer dans la carrière diplomatique avec l'appui de son beau-père. Il ne veut être qu'écrivain. Au grand dam de sa famille bourgeoise, qu'il effraie par ses frasques, il fréquente la jeunesse littéraire du Quartier Latin. Un conseil de famille, sous la pression du général Aupick, l'envoie aux Indes, en 1841, à bord d'un navire marchand. Mais Charles Baudelaire ne veut pas tenter l'aventure au bout du monde. Il ne désire que la gloire littéraire.

Lors d'une escale à l'Ile de la Réunion, il fausse compagnie au capitaine et revient à Paris prendre, puisqu'il a atteint sa majorité, possession de l'héritage paternel. Il se lie avec Jeanne Duval, une actrice mulâtre dont, malgré de fré-

quentes brouilles et de nombreuses aventures, il
restera toute sa vie l'amant et le soutien. Ami de
Théophile Gautier, de Gérard de Nerval, de
Sainte-Beuve, de Théodore de Banville, il participe au mouvement romantique, joue au dandy,
et fait des dettes. Ses excentricités sont telles que
sa mère et le général Aupick obtiennent en 1844
du Tribunal qu'il soit soumis à un conseil judi-
ciaire.

Baudelaire, ulcéré, ne guérira pas de cette
humiliation. Privé de ressources, il ne cessera
dès lors de fuir les créanciers, déménageant, se
cachant chez ses maîtresses, travaillant sans
relâche ses poèmes tout en tentant de gagner sa
vie en plaçant des articles.

Un premier ouvrage marque ses débuts de critique d'art. Il encense son ami Delacroix, éreinte
les peintres officiels. Cette même année, une tentative de suicide le réconcilie provisoirement avec
sa mère. En 1846, il découvre l'œuvre d'Edgar
Poe, ce maudit d'Outre-Atlantique, cet autre
incompris qui lui ressemble, et, pendant dix-sept
ans, va la traduire et la révéler.

Après la révolution de 1848, à laquelle il a parti-
cipé plus par exaltation que par conviction (au
cours des émeutes, il suggère à ses compagnons
d'armes de fusiller son beau-père...) il poursuit
ses activités de journaliste et de critique. En 1857,
la publication des *Fleurs du Mal*, jugées obscènes,
fait scandale. Baudelaire doit payer une forte
amende. Seuls Hugo (qui lui écrira « Vous aimez
le Beau. Donnez-moi la main. Et quant aux persé-
cutions, ce sont des grandeurs. Courage ! »),
Sainte-Beuve, Théophile Gautier et de jeunes
poètes admiratifs le soutiennent. Amer,
incompris, Baudelaire s'isole davantage.

Sa santé commence à se dégrader. Il étouffe,

souffre de crises gastriques, et une syphilis contractée dix ans auparavant réapparaît. Pour combattre la douleur, il fume de l'opium, prend de l'éther. Physiquement, c'est une épave. Dans la solitude orgueilleuse où il s'est enfermé, deux lueurs : les écrits admiratifs de deux poètes encore inconnus, Stéphane Mallarmé et Paul Verlaine, sur son œuvre qui se résume à un seul recueil, *Les Fleurs du Mal*, auquel il faut ajouter les poèmes en prose du *Spleen de Paris*, des essais, (*Les Paradis artificiels*, étude sur les effets de l'opium et du haschisch), ses articles de critique et sa correspondance.

En 1866, lors d'un séjour en Belgique, une attaque le paralyse et le rend presque muet. Il agonise pendant un an ; des amis, pour l'aider à surmonter la douleur, viennent à son chevet lui jouer du Wagner. Il s'éteint à 46 ans, le 31 août 1867, dans les bras de sa mère.

À ARSÈNE HOUSSAYE

Mon cher ami, je vous envoie un petit ouvrage dont on ne pourrait pas dire, sans injustice, qu'il n'a ni queue ni tête, puisque tout, au contraire, y est à la fois tête et queue, alternativement et réciproquement. Considérez, je vous prie, quelles admirables commodités cette combinaison nous offre à tous, à vous, à moi et au lecteur. Nous pouvons couper où nous voulons, moi ma rêverie, vous le manuscrit, le lecteur sa lecture; car je ne suspends pas la volonté rétive de celui-ci au fil interminable d'une intrigue superflue. Enlevez une vertèbre, et les deux morceaux de cette tortueuse fantaisie se rejoindront sans peine. Hachez-la en nombreux fragments, et vous verrez que chacun peut exister à part. Dans l'espérance que quelques-uns de ces tronçons seront assez vivants pour vous plaire et vous amuser, j'ose vous dédier le serpent tout entier.

J'ai une petite confession à vous faire. C'est en feuilletant pour la vingtième fois au moins, le fameux Gaspard de la Nuit, *d'Aloysius Bertrand (un livre connu de vous, de moi et de quelques-uns de nos amis, n'a-t-il pas tous les droits à être appelé* fameux?) *que l'idée m'est venue de tenter quelque chose d'analogue, et d'appliquer à la description de*

la vie moderne, ou plutôt d'une vie moderne et plus
abstraite, le procédé qu'il avait appliqué à la peinture de la vie ancienne, si étrangement pittoresque.

Quel est celui de nous qui n'a pas, dans ses jours
d'ambition, rêvé le miracle d'une prose poétique,
musicale sans rythme et sans rime, assez souple et
assez heurtée pour s'adapter aux mouvements
lyriques de l'âme, aux ondulations de la rêverie, aux
soubresauts de la conscience ?

C'est surtout de la fréquentation des villes
énormes, c'est du croisement de leurs innombrables
rapports que naît cet idéal obsédant. Vous-même,
mon cher ami, n'avez-vous pas tenté de traduire en
une chanson le cri strident du Vitrier, et d'exprimer
dans une prose lyrique toutes les désolantes suggestions que ce cri envoie jusqu'aux mansardes, à travers les plus hautes brumes de la rue ?

Mais, pour dire le vrai, je crains que ma jalousie
ne m'ait pas porté bonheur. Sitôt que j'eus
commencé le travail, je m'aperçus que non-seulement je restais bien loin de mon mystérieux et brillant modèle, mais encore que je faisais quelque
chose (si cela peut s'appeler quelque chose) de singulièrement différent, accident dont tout autre que
moi s'enorgueillirait sans doute, mais qui ne peut
qu'humilier profondément un esprit qui regarde
comme le plus grand honneur du poëte d'accomplir
juste ce qu'il a projeté de faire.

Votre bien affectionné,

C. B.

L'ÉTRANGER

— Qui aimes-tu le mieux, homme énigmatique, dis ? ton père, ta mère, ta sœur ou ton frère ?

— Je n'ai ni père, ni mère, ni sœur, ni frère.

— Tes amis ?

— Vous vous servez là d'une parole dont le sens m'est resté jusqu'à ce jour inconnu.

— Ta patrie ?

— J'ignore sous quelle latitude elle est située.

— La beauté ?

— Je l'aimerais volontiers, déesse et immortelle.

— L'or ?

— Je le hais comme vous haïssez Dieu.

— Eh ! qu'aimes-tu donc, extraordinaire étranger ?

— J'aime les nuages... les nuages qui passent... là-bas... là-bas... les merveilleux nuages !

LE DÉSESPOIR DE LA VIEILLE

La petite vieille ratatinée se sentit toute réjouie en voyant ce joli enfant à qui chacun faisait fête, à qui tout le monde voulait plaire; ce joli être, si fragile comme elle, la petite vieille, et, comme elle aussi, sans dents et sans cheveux.

Et elle s'approcha de lui, voulant lui faire des risettes et des mines agréables.

Mais l'enfant épouvanté se débattait sous les caresses de la bonne femme décrépite, et remplissait la maison de ses glapissements.

Alors la bonne vieille se retira dans sa solitude éternelle, et elle pleurait dans un coin, se disant : — « Ah! pour nous, malheureuses vieilles femelles, l'âge est passé de plaire, même aux innocents; et nous faisons horreur aux petits enfants que nous voulons aimer! »

LE *CONFITEOR* DE L'ARTISTE

Que les fins de journées d'automne sont pénétrantes ! Ah ! pénétrantes jusqu'à la douleur ! car il est de certaines sensations délicieuses dont le vague n'exclut pas l'intensité ; et il n'est pas de pointe plus acérée que celle de l'Infini.

Grand délice que celui de noyer son regard dans l'immensité du ciel et de la mer ! Solitude, silence, incomparable chasteté de l'azur ! une petite voile frissonnante à l'horizon, et qui par sa petitesse et son isolement imite mon irrémédiable existence, mélodie monotone de la houle, toutes ces choses pensent par moi, ou je pense par elles (car dans la grandeur de la rêverie, le *moi* se perd vite !) ; elles pensent, dis-je, mais musicalement et pittoresquement, sans arguties, sans syllogismes, sans déductions.

Toutefois, ces pensées, qu'elles sortent de moi ou s'élancent des choses, deviennent bientôt trop intenses. L'énergie dans la volupté crée un malaise et une souffrance positive. Mes nerfs trop tendus ne donnent plus que des vibrations criardes et douloureuses.

Et maintenant la profondeur du ciel me consterne ; sa limpidité m'exaspère. L'insensibilité de la mer, l'immuabilité du spectacle me révoltent... Ah! faut-il éternellement souffrir, ou fuir éternellement le beau? Nature, enchanteresse sans pitié, rivale toujours victorieuse, laisse-moi! Cesse de tenter mes désirs et mon orgueil! L'étude du beau est un duel où l'artiste crie de frayeur avant d'être vaincu.

IV

UN PLAISANT

C'était l'explosion du nouvel an : chaos de boue
et de neige, traversé de mille carrosses, étincelant
de joujoux et de bonbons, grouillant de cupidités
et de désespoirs, délire officiel d'une grande ville
fait pour troubler le cerveau du solitaire le plus
fort.

Au milieu de ce tohu-bohu et de ce vacarme, un
âne trottait vivement, harcelé par un malotru
armé d'un fouet.

Comme l'âne allait tourner l'angle d'un trottoir,
un beau monsieur ganté, verni, cruellement cra-
vaté et emprisonné dans des habits tout neufs,
s'inclina cérémonieusement devant l'humble bête,
et lui dit, en ôtant son chapeau : « Je vous la sou-
haite bonne et heureuse ! » puis se retourna vers
je ne sais quels camarades avec un air de fatuité,
comme pour les prier d'ajouter leur approbation
à son contentement.

L'âne ne vit pas ce beau plaisant, et continua de
courir avec zèle où l'appelait son devoir.

Pour moi, je fus pris subitement d'une
incommensurable rage contre ce magnifique
imbécile, qui me parut concentrer en lui tout
l'esprit de la France.

V

LA CHAMBRE DOUBLE

Une chambre qui ressemble à une rêverie, une chambre véritablement *spirituelle*, où l'atmosphère stagnante est légèrement teintée de rose et de bleu.

L'âme y prend un bain de paresse, aromatisé par le regret et le désir. — C'est quelque chose de crépusculaire, de bleuâtre et de rosâtre; un rêve de volupté pendant une éclipse.

Les meubles ont des formes allongées, prostrées, alanguies. Les meubles ont l'air de rêver; on les dirait doués d'une vie somnambulique, comme le végétal et le minéral. Les étoffes parlent une langue muette, comme les fleurs, comme les ciels, comme les soleils couchants.

Sur les murs nulle abomination artistique. Relativement au rêve pur, à l'impression non analysée, l'art défini, l'art positif est un blasphème. Ici, tout a la suffisante clarté et la délicieuse obscurité de l'harmonie.

Une senteur infinitésimale du choix le plus exquis, à laquelle se mêle une très-légère humidité, nage dans cette atmosphère, où l'esprit sommeillant est bercé par des sensations de serre chaude.

La mousseline pleut abondamment devant les

fenêtres et devant le lit ; elle s'épanche en cascades neigeuses. Sur ce lit est couchée l'Idole, la
souveraine des rêves. Mais comment est-elle ici ?
Qui l'a amenée ? quel pouvoir magique l'a instal-
lée sur ce trône de rêverie et de volupté ?
Qu'importe ? la voilà ! je la reconnais.

Voilà bien ces yeux dont la flamme traverse le
crépuscule ; ces subtiles et terribles *mirettes*, que
je reconnais à leur effrayante malice ! Elles
attirent, elles subjuguent, elles dévorent le regard
de l'imprudent qui les contemple. Je les ai souvent
étudiées, ces étoiles noires qui commandent la
curiosité et l'admiration.

À quel démon bienveillant dois-je d'être ainsi
entouré de mystère, de silence, de paix et de parfums ? O béatitude ! ce que nous nommons généralement la vie, même dans son expansion la plus
heureuse, n'a rien de commun avec cette vie
suprême dont j'ai maintenant connaissance et
que je savoure minute par minute, seconde par
seconde !

Non ! il n'est plus de minutes, il n'est plus de
secondes ! Le temps a disparu ; c'est l'Éternité qui
règne, une éternité de délices !

Mais un coup terrible, lourd, a retenti à la
porte, et, comme dans les rêves infernaux, il m'a
semblé que je recevais un coup de pioche dans
l'estomac.

Et puis un Spectre est entré. C'est un huissier
qui vient me torturer au nom de la loi ; une
infâme concubine qui vient crier misère et ajouter
les trivialités de sa vie aux douleurs de la mienne ;
ou bien le saute-ruisseau d'un directeur de jour-
nal qui réclame la suite du manuscrit.

La chambre paradisiaque, l'idole, la souveraine
des rêves, la *Sylphide*, comme disait le grand
René, toute cette magie a disparu au coup brutal
frappé par le Spectre.

Horreur! je me souviens! Je me souviens! Oui!
ce taudis, ce séjour de l'éternel ennui, est bien le
mien. Voici les meubles sots, poudreux, écornés;
la cheminée sans flamme et sans braise, souillée
de crachats : les tristes fenêtres où la pluie a tracé
des sillons dans la poussière; les manuscrits, ratu-
rés ou incomplets; l'almanach où le crayon a marqué les dates sinistres!

Et ce parfum d'un autre monde, dont je m'eni-
vrais avec une sensibilité perfectionnée, hélas! il
est remplacé par une fétide odeur de tabac mêlée
à je ne sais quelle nauséabonde moisissure. On
respire ici maintenant le ranci de la désolation.

Dans ce monde étroit, mais si plein de dégoût,
un seul objet connu me sourit : la fiole de laudanum; une vieille et terrible amie; comme toutes
les amies, hélas! féconde en caresses et en traî-
trises.

Oh! oui! le Temps a reparu; le Temps règne en
souverain maintenant; et avec le hideux vieillard
est revenu tout son démoniaque cortège de Souvenirs, de Regrets, de Spasmes, de Peurs,
d'Angoisses, de Cauchemars, de Colères et de
Névroses.

Je vous assure que les secondes maintenant
sont fortement et solennellement accentuées, et
chacune, en jaillissant de la pendule, dit : — « Je
suis la Vie, l'insupportable, l'implacable Vie! »

Il n'y a qu'une seconde dans la vie humaine qui
ait mission d'annoncer une bonne nouvelle, la
bonne nouvelle qui cause à chacun une inexplicable peur.

Oui! le Temps règne; il a repris sa brutale dic-
tature. Et il me pousse, comme si j'étais un bœuf,
avec son double aiguillon. — « Et hue donc! bour-
rique! Sue donc, esclave! Vis donc, damné! »

CHACUN SA CHIMÈRE

Sous un grand ciel gris, dans une grande plaine poudreuse, sans chemins, sans gazon, sans un chardon, sans une ortie, je rencontrai plusieurs hommes qui marchaient courbés.

Chacun d'eux portait sur son dos une énorme Chimère, aussi lourde qu'un sac de farine ou de charbon, ou le fourniment d'un fantassin romain.

Mais la monstrueuse bête n'était pas un poids inerte; au contraire, elle enveloppait et opprimait l'homme de ses muscles élastiques et puissants; elle s'agrafait avec ses deux vastes griffes à la poitrine de sa monture; et sa tête fabuleuse surmontait le front de l'homme, comme un de ces casques horribles par lesquels les anciens guerriers espéraient ajouter à la terreur de l'ennemi.

Je questionnai l'un de ces hommes, et je lui demandai où ils allaient ainsi. Il me répondit qu'il n'en savait rien, ni lui, ni les autres; mais qu'évidemment ils allaient quelque part, puisqu'ils étaient poussés par un invincible besoin de marcher.

Chose curieuse à noter: aucun de ces voyageurs n'avait l'air irrité contre la bête féroce suspendue à son cou et collée à son dos; on eût dit qu'il la considérait comme faisant partie de lui-

même. Tous ces visages fatigués et sérieux ne
témoignaient d'aucun désespoir ; sous la coupole
spleenétique du ciel, les pieds plongés dans la
poussière d'un sol aussi désolé que ce ciel, ils cheminaient avec la physionomie résignée de ceux
qui sont condamnés à espérer toujours.

Et le cortège passa à côté de moi et s'enfonça
dans l'atmosphère de l'horizon, à l'endroit où la
surface arrondie de la planète se dérobe à la
curiosité du regard humain.

Et pendant quelques instants je m'obstinai à
vouloir comprendre ce mystère ; mais bientôt
l'irrésistible Indifférence s'abattit sur moi, et j'en
fus plus lourdement accablé qu'ils ne l'étaient
eux-mêmes par leurs écrasantes Chimères.

LE FOU ET LA VÉNUS

Quelle admirable journée! Le vaste parc se pâme sous l'œil brûlant du soleil, comme la jeunesse sous la domination de l'Amour.

L'extase universelle des choses ne s'exprime par aucun bruit; les eaux elles-mêmes sont comme endormies. Bien différente des fêtes humaines, c'est ici une orgie silencieuse.

On dirait qu'une lumière toujours croissante fait de plus en plus étinceler les objets; que les fleurs excitées brûlent du désir de rivaliser avec l'azur du ciel par l'énergie de leurs couleurs, et que la chaleur, rendant visibles les parfums, les fait monter vers l'astre, comme des fumées.

Cependant, dans cette jouissance universelle, j'ai aperçu un être affligé.

Aux pieds d'une colossale Vénus, un de ces fous artificiels, un de ces bouffons volontaires chargés de faire rire les rois quand le Remords ou l'Ennui les obsède, affublé d'un costume éclatant et ridicule, coiffé de cornes et de sonnettes, tout ramassé contre le piédestal, lève des yeux pleins de larmes vers l'immortelle Déesse.

Et ses yeux disent : — « Je suis le dernier et le plus solitaire des humains, privé d'amour et d'amitié, et bien inférieur en cela au plus imparfait des animaux. Cependant je suis fait, moi aussi, pour comprendre et sentir l'immortelle Beauté! Ah! Déesse! ayez pitié de ma tristesse et de mon délire! »

Mais l'implacable Vénus regarde au loin je ne sais quoi avec ses yeux de marbre.

VIII

LE CHIEN ET LE FLACON

« Mon beau chien, mon bon chien, mon cher toutou, approchez et venez respirer un excellent parfum acheté chez le meilleur parfumeur de la ville. »

Et le chien, en frétillant de la queue, ce qui est, je crois, chez ces pauvres êtres, le signe correspondant du rire et du sourire, s'approche et pose curieusement son nez humide sur le flacon débouché; puis reculant soudainement avec effroi, il aboie contre moi, en manière de reproche.

« — Ah! misérable chien, si je vous avais offert un paquet d'excréments, vous l'auriez flairé avec délices et peut-être dévoré. Ainsi, vous-même, indigne compagnon de ma triste vie, vous ressemblez au public, à qui il ne faut jamais présenter des parfums délicats qui l'exaspèrent, mais des ordures soigneusement choisies. »

LE MAUVAIS VITRIER

Il y a des natures proprement contemplatives et tout à fait impropres à l'action, qui cependant, sous une impulsion mystérieuse et inconnue, agissent quelquefois avec une rapidité dont elles se seraient crues elles-mêmes incapables.

Tel qui, craignant de trouver chez son concierge une nouvelle chagrinante, rôde lâchement une heure devant sa porte sans oser rentrer, tel qui garde quinze jours une lettre sans la décacheter, ou ne se résigne qu'au bout de six mois à opérer une démarche nécessaire depuis un an, se sentent quelquefois brusquement précipités vers l'action par une force irrésistible, comme la flèche d'un arc. Le moraliste et le médecin, qui prétendent tout savoir, ne peuvent pas expliquer d'où vient si subitement une si folle énergie à ces âmes paresseuses et voluptueuses, et comment, incapables d'accomplir les choses les plus simples et les plus nécessaires, elles trouvent à une certaine minute un courage de luxe pour exécuter les actes les plus absurdes et souvent même les plus dangereux.

Un de mes amis, le plus inoffensif rêveur qui ait existé, a mis une fois le feu à une forêt pour voir, disait-il, si le feu prenait avec autant de facilité qu'on l'affirme généralement. Dix fois de suite l'expérience manqua ; mais, à la onzième, elle réussit beaucoup trop bien.

Un autre allumera un cigare à côté d'un tonneau de poudre, *pour voir, pour savoir, pour tenter la destinée*, pour se contraindre lui-même à faire preuve d'énergie, pour faire le joueur, pour connaître les plaisirs de l'anxiété, pour rien, par caprice, par désœuvrement.

C'est une espèce d'énergie qui jaillit de l'ennui et de la rêverie ; et ceux en qui elle se manifeste si opinément sont, en général, comme je l'ai dit, les plus indolents et les plus rêveurs des êtres.

Un autre, timide à ce point qu'il baisse les yeux même devant les regards des hommes, à ce point qu'il lui faut rassembler toute sa pauvre volonté pour entrer dans un café ou passer devant le bureau d'un théâtre, où les contrôleurs lui paraissent investis de la majesté de Minos, d'Eaque et de Rhadamanthe, sautera brusquement au cou d'un vieillard qui passe à côté de lui et l'embrassera avec enthousiasme devant la foule étonnée.

Pourquoi ? Parce que... parce que cette physionomie lui était irrésistiblement sympathique ? Peut-être ; mais il est plus légitime de supposer que lui-même il ne sait pas pourquoi.

J'ai été plus d'une fois victime de ces crises et de ces élans, qui nous autorisent à croire que des Démons malicieux se glissent en nous et nous font accomplir à notre insu, leurs plus absurdes volontés.

Un matin je m'étais levé maussade, triste, fatigué d'oisiveté, et poussé, me semblait-il, à faire quelque chose de grand, une action d'éclat ; et j'ouvris la fenêtre, hélas !

(Observez, je vous prie, que l'esprit de mystification qui, chez quelques personnes, n'est pas le résultat d'un travail ou d'une combinaison, mais d'une inspiration fortuite, participe beaucoup, ne fût-ce que par l'ardeur du désir, de cette humeur, hystérique selon les médecins, satanique selon ceux qui pensent un peu mieux que les médecins, qui nous pousse sans résistance vers une foule d'actions dangereuses ou inconvenantes.)

La première personne que j'aperçus dans la rue, ce fut un vitrier dont le cri perçant, discordant, monta jusqu'à moi à travers la lourde et sale atmosphère parisienne. Il me serait d'ailleurs impossible de dire pourquoi je fus pris à l'égard de ce pauvre homme d'une haine aussi soudaine que despotique.

« — Hé! hé! » et je lui criai de monter. Cependant je réfléchissais, non sans quelque gaieté, que, la chambre étant au sixième étage et l'escalier fort étroit, l'homme devait éprouver quelque peine à opérer son ascension et accrocher en maint endroit les angles de sa fragile marchandise.

Enfin il parut : j'examinai curieusement toutes ses vitres, je lui dis : « — Comment? vous n'avez pas de verres de couleur? des verres roses, rouges, bleus, des vitres magiques, des vitres de paradis? Impudent que vous êtes! vous osez vous promener dans des quartiers pauvres, et vous n'avez pas même de vitres qui fassent voir la vie en beau! » Et je le poussai vivement vers l'escalier, où il trébucha en grognant.

Je m'approchai du balcon et je me saisis d'un petit pot de fleurs, et quand l'homme reparut au débouché de la porte, je laissai tomber perpendiculairement mon engin de guerre sur le rebord postérieur de ses crochets; et le choc le renversant, il acheva de briser sous son dos toute sa pauvre fortune ambulatoire qui rendit le bruit éclatant d'un palais de cristal crevé par la foudre.

Et, ivre de ma folie, je lui criai furieusement : « La vie en beau ! la vie en beau ! »

Ces plaisanteries nerveuses ne sont pas sans péril, et on peut souvent les payer cher. Mais qu'importe l'éternité de la damnation à qui a trouvé dans une seconde l'infini de la jouissance ?

À UNE HEURE DU MATIN

Enfin ! seul ! On n'entend plus que le roulement de quelques fiacres attardés et éreintés. Pendant quelques heures, nous posséderons le silence, sinon le repos. Enfin ! la tyrannie de la face humaine a disparu, et je ne souffrirai plus que par moi-même.

Enfin ! il m'est donc permis de me délasser dans un bain de ténèbres ! D'abord, un double tour à la serrure. Il me semble que ce tour de clef augmentera ma solitude et fortifiera les barricades qui me séparent actuellement du monde.

Horrible vie ! Horrible ville ! Récapitulons la journée : avoir vu plusieurs hommes de lettres, dont l'un m'a demandé si l'on pouvait aller en Russie par voie de terre (il prenait sans doute la Russie pour une île) ; avoir disputé généreuse-ment contre le directeur d'une revue, qui à chaque objection répondait : « — C'est ici le parti des honnêtes gens », ce qui implique que tous les autres journaux sont rédigés par des coquins ; avoir salué une vingtaine de personnes, dont quinze me sont inconnues ; avoir distribué des poignées de main dans la même proportion, et cela sans avoir pris la précaution d'acheter des gants ; être monté pour tuer le temps, pendant

une averse, chez une sauteuse qui m'a prié de lui
dessiner un costume de *Vénustre*; avoir fait ma
cour à un directeur de théâtre, qui m'a dit en me
congédiant : « — Vous feriez peut-être bien de
vous adresser à Z...; c'est le plus lourd, le plus sot
et le plus célèbre de tous mes auteurs; avec lui
vous pourriez peut-être aboutir à quelque chose.
Voyez-le, et puis nous verrons »; m'être vanté
(pourquoi?) de plusieurs vilaines actions que je
n'ai jamais commises, et avoir lâchement nié
quelques autres méfaits que j'ai accomplis avec
joie, délit de fanfaronnade, crime de respect
humain; avoir refusé à un ami un service facile, et
donné une recommandation écrite à un parfait
drôle; ouf! est-ce bien fini?

Mécontent de tous et mécontent de moi, je voudrais bien me racheter et m'enorgueillir un peu
dans le silence et la solitude de la nuit. Âmes de
ceux que j'ai aimés, âmes de ceux que j'ai chantés,
fortifiez-moi, soutenez-moi, éloignez de moi le
mensonge et les vapeurs corruptrices du monde;
et vous, Seigneur mon Dieu! accordez-moi la
grâce de produire quelques beaux vers qui me
prouvent à moi-même que je ne suis pas le dernier des hommes, que je ne suis pas inférieur à
ceux que je méprise!

LA FEMME SAUVAGE
ET LA PETITE MAÎTRESSE

« Vraiment, ma chère, vous me fatiguez sans
mesure et sans pitié; on dirait, à vous entendre
soupirer, que vous souffrez plus que les glaneuses
sexagénaires et que les vieilles mendiantes qui
ramassent des croûtes de pain à la porte des cabarets.

« Si au moins vos soupirs exprimaient le
remords, ils vous feraient quelque honneur; mais
ils ne traduisent que la satiété du bien-être et
l'accablement du repos. Et puis, vous ne cessez de
vous répandre en paroles inutiles : « Aimez-moi
bien! j'en ai tant besoin! Consolez-moi par-ci,
caressez-moi par-là! » Tenez, je veux essayer de
vous guérir; nous en trouverons peut-être le
moyen, pour deux sols, au milieu d'une fête, et
sans aller bien loin.

« Considérons bien, je vous prie, cette solide
cage de fer derrière laquelle s'agite, hurlant
comme un damné, secouant les barreaux comme
un orang-outang exaspéré par l'exil, imitant, dans
la perfection, tantôt les bonds circulaires du tigre,
tantôt les dandinements stupides de l'ours blanc,
ce monstre poilu dont la forme imite assez vaguement la vôtre.

« Ce monstre est un de ces animaux qu'on

appelle généralement « mon ange ! », c'est-à-dire
une femme. L'autre monstre, celui qui crie à tue-
tête, un bâton à la main, est un mari. Il a
enchaîné sa femme légitime comme une bête, et il
la montre dans les faubourgs, les jours de foire,
avec permission des magistrats, cela va sans dire.
« Faites bien attention ! Voyez avec quelle voracité
(non simulée peut-être) elle déchire des lapins
vivants et des volailles piaillantes que lui jette son
cornac. « Allons, dit-il, il ne faut pas manger tout
son bien en un jour », et, sur cette sage parole, il
lui arrache cruellement la proie, dont les boyaux
dévidés restent un instant accrochés aux dents de
la bête féroce, de la femme, veux-je dire.

« Allons ! un bon coup de bâton pour la calmer !
car elle darde des yeux terribles de convoitise sur
la nourriture enlevée. Grand Dieu ! le bâton n'est
pas un bâton de comédie, avez-vous entendu
résonner la chair, malgré le poil postiche ? Aussi
les yeux lui sortent maintenant de la tête, elle
hurle *plus naturellement*. Dans sa rage, elle étin-
celle tout entière, comme le fer qu'on bat.

« Telles sont les mœurs conjugales de ces deux
descendants d'Ève et d'Adam, ces œuvres de vos
mains, ô mon Dieu ! Cette femme est incontes-
tablement malheureuse, quoique après tout, peut-
être, les jouissances titillantes de la gloire ne lui
soient pas inconnues. Il y a des malheurs plus
irrémédiables, et sans compensation. Mais dans
le monde où elle a été jetée, elle n'a jamais pu
croire que la femme méritât une autre destinée.

« Maintenant, à nous deux, chère précieuse ! À
voir les enfers dont le monde est peuplé, que voulez-vous que je pense de votre joli enfer, vous qui
ne reposez que sur des étoffes aussi douces que
votre peau, qui ne mangez que de la viande cuite,
et pour qui un domestique habile prend soin de
découper les morceaux ?

« Et que peuvent signifier pour moi tous ces
petits soupirs qui gonflent votre poitrine parfumée, robuste coquette ? Et toutes ces affectations
apprises dans les livres, et cette infatigable mélancolie, faite pour inspirer au spectateur un tout
autre sentiment que la pitié ? En vérité, il me
prend quelquefois envie de vous apprendre ce que
c'est que le vrai malheur.

« À vous voir ainsi, ma belle délicate, les pieds
dans la fange et les yeux tournés vaporeusement
vers le ciel, comme pour lui demander un roi, on
dirait vraisemblablement une jeune grenouille
qui invoquerait l'idéal. Si vous méprisez le soli-
veau (ce que je suis maintenant, comme vous
savez bien), gare la grue *qui vous croquera, vous
gobera et vous tuera à son plaisir !*

« Tant poëte que je sois, je ne suis pas aussi
dupe que vous voudriez le croire, et si vous me
fatiguez trop souvent de vos *précieuses* pleurni-
cheries, je vous traiterai en *femme sauvage*, ou je
vous jetterai par la fenêtre, comme une bouteille
vide. »

LES FOULES

Il n'est pas donné à chacun de prendre un bain de multitude : jouir de la foule est un art; et celui-là seul peut faire, aux dépens du genre humain, une ribote de vitalité, à qui une fée a insufflé dans son berceau le goût du travestissement et du masque, la haine du domicile et la passion du voyage.

Multitude, solitude : termes égaux et convertibles pour le poëte actif et fécond. Qui ne sait pas peupler sa solitude, ne sait pas non plus être seul dans une foule affairée.

Le poëte jouit de cet incomparable privilège, qu'il peut à sa guise être lui-même et autrui. Comme ces âmes errantes qui cherchent un corps, il entre, quand il veut, dans le personnage de chacun. Pour lui seul, tout est vacant; et si de certaines places paraissent lui être fermées, c'est qu'à ses yeux elles ne valent pas la peine d'être visitées.

Le promeneur solitaire et pensif tire une singulière ivresse de cette universelle communion. Celui-là qui épouse facilement la foule connaît des jouissances fiévreuses, dont seront éternellement privés l'égoïste, fermé comme un coffre, et le paresseux, interné comme un mollusque. Il adopte comme siennes toutes les professions, toutes les joies et toutes les misères que la circonstance lui présente.

Ce que les hommes nomment amour est bien petit, bien restreint et bien faible, comparé à cette ineffable orgie, à cette sainte prostitution de l'âme qui se donne tout entière, poésie et charité, à l'imprévu qui se montre, à l'inconnu qui passe.

Il est bon d'apprendre quelquefois aux heureux de ce monde, ne fût-ce que pour humilier un instant leur sot orgueil, qu'il est des bonheurs supérieurs au leur, plus vastes et plus raffinés. Les fondateurs de colonies, les pasteurs de peuples, les prêtres missionnaires exilés au bout du monde, connaissent sans doute quelque chose de ces mystérieuses ivresses; et, au sein de la vaste famille que leur génie s'est faite, ils doivent rire quelquefois de ceux qui les plaignent pour leur fortune si agitée et pour leur vie si chaste.

XIII

LES VEUVES

Vauvenargues dit que dans les jardins publics il est des allées hantées principalement par l'ambition déçue, par les inventeurs malheureux, par les gloires avortées, par les cœurs brisés, par toutes ces âmes tumultueuses et fermées, en qui grondent encore les derniers soupirs d'un orage, et qui reculent loin du regard insolent des joyeux et des oisifs. Ces retraites ombreuses sont les rendez-vous des éclopés de la vie.

C'est surtout vers ces lieux que le poëte et le philosophe aiment diriger leurs avides conjectures. Il y a là une pâture certaine. Car s'il est une place qu'ils dédaignent de visiter, comme je l'insinuais tout à l'heure, c'est surtout la joie des riches. Cette turbulence dans le vide n'a rien qui les attire. Au contraire, ils se sentent irrésistiblement entraînés vers tout ce qui est faible, ruiné, contristé, orphelin.

Un œil expérimenté ne s'y trompe jamais. Dans ces traits rigides ou abattus, dans ces yeux caves et ternes, ou brillants des derniers éclairs de la lutte, dans ces rides profondes et nombreuses, dans ces démarches si lentes ou si saccadées, il déchiffre tout de suite les innombrables légendes de l'amour trompé, du dévouement méconnu, des efforts non récompensés, de la faim et du froid humblement, silencieusement supportés.

Avez-vous quelquefois aperçu des veuves sur ces bancs solitaires, des veuves pauvres? Qu'elles soient en deuil ou non, il est facile de les reconnaître. D'ailleurs il y a toujours dans le deuil du pauvre quelque chose qui manque, une absence d'harmonie qui le rend plus navrant. Il est contraint de lésiner sur sa douleur. Le riche porte la sienne au grand complet.

Quelle est la veuve la plus triste et la plus attristante, celle qui traîne à sa main un bambin avec qui elle ne peut pas partager sa rêverie, ou celle qui est tout à fait seule? Je ne sais... Il m'est arrivé une fois de suivre pendant de longues heures une vieille affligée de cette espèce; celle-là roide, droite, sous un petit châle usé, portait dans tout son être une fierté de stoïcienne.

Elle était évidemment condamnée, par une absolue solitude, à des habitudes de vieux célibataire, et le caractère masculin de ses mœurs ajoutait un piquant mystérieux à leur austérité. Je ne sais dans quel misérable café et de quelle façon elle déjeuna. Je la suivis au cabinet de lecture; et je l'épiai longtemps pendant qu'elle cherchait dans les gazettes, avec des yeux actifs, jadis brûlés par les larmes, des nouvelles d'un intérêt puissant et personnel.

Enfin, dans l'après-midi, sous un ciel d'automne charmant, un de ces ciels d'où descendent en foule les regrets et les souvenirs, elle s'assit à l'écart dans un jardin, pour entendre, loin de la foule, un de ces concerts dont la musique des régiments gratifie le peuple parisien.

C'était sans doute là la petite débauche de cette vieille innocente (ou de cette vieille purifiée), la consolation bien gagnée d'une de ces lourdes journées sans ami, sans causerie, sans joie, sans confident, que Dieu laissait tomber sur elle, depuis bien des ans peut-être! trois cent soixante-cinq fois par an.

Une autre encore :

Je ne puis jamais m'empêcher de jeter un regard, sinon universellement sympathique, au moins curieux, sur la foule de parias qui se pressent autour de l'enceinte d'un concert public. L'orchestre jette à travers la nuit des chants de fête, de triomphe ou de volupté. Les robes traînent en miroitant; les regards se croisent; les oisifs, fatigués de n'avoir rien fait, se dandinent, feignant de déguster indolemmment la musique. Ici rien que de riche, d'heureux; rien qui ne respire et n'inspire l'insouciance et le plaisir de se laisser vivre; rien, excepté l'aspect de cette tourbe qui s'appuie là-bas sur la barrière extérieure, attrapant gratis, au gré du vent, un lambeau de musique, et regardant l'étincelante fournaise intérieure.

C'est toujours chose intéressante que ce reflet de la joie du riche au fond de l'œil du pauvre. Mais ce jour-là, à travers ce peuple vêtu de blouses et d'indienne, j'aperçus un être dont la noblesse faisait un éclatant contraste avec toute la trivialité environnante.

C'était une femme grande, majestueuse, et si noble dans tout son air, que je n'ai pas souvenir d'avoir vu sa pareille dans les collections des aristocratiques beautés du passé. Un parfum de hautaine vertu émanait de toute sa personne. Son visage, triste et amaigri, était en parfaite accordance avec le grand deuil dont elle était revêtue. Elle aussi, comme la plèbe à laquelle elle s'était mêlée et qu'elle ne voyait pas, elle regardait le monde lumineux avec un œil profond, et elle écoutait en hochant doucement la tête.

Singulière vision! « À coup sûr, me dis-je, cette pauvreté-là, si pauvreté il y a, ne doit pas admettre l'économie sordide ; un si noble visage m'en répond. Pourquoi donc reste-t-elle volontairement dans un milieu où elle fait une tache si éclatante ? »

Mais en passant curieusement auprès d'elle, je crus en deviner la raison. La grande veuve tenait par la main un enfant comme elle vêtu de noir ; si modique que fût le prix d'entrée, ce prix suffisait peut-être pour payer un des besoins du petit être, mieux encore, une superfluité, un jouet.

Et elle sera rentrée à pied, méditant et rêvant, seule, toujours seule ; car l'enfant est turbulent, égoïste, sans douceur et sans patience ; et il ne peut même pas, comme le pur animal, comme le chien et le chat, servir de confident aux douleurs solitaires.

LE VIEUX SALTIMBANQUE

Partout s'étalait, se répandait, s'ébaudissait le peuple en vacances. C'était une de ces solennités sur lesquelles, pendant un long temps, comptent les saltimbanques, les faiseurs de tours, les montreurs d'animaux et les boutiquiers ambulants, pour compenser les mauvais temps de l'année.

En ces jours-là il me semble que le peuple oublie tout, la douleur et le travail; il devient pareil aux enfants. Pour les petits c'est un jour de congé, c'est l'horreur de l'école renvoyée à vingt-quatre heures. Pour les grands c'est un armistice conclu avec les puissances malfaisantes de la vie, un répit dans la contention et la lutte universelles.

L'homme du monde lui-même et l'homme occupé de travaux spirituels échappent difficilement à l'influence de ce jubilé populaire. Ils absorbent, sans le vouloir, leur part de cette atmosphère d'insouciance. Pour moi, je ne manque jamais, en vrai Parisien, de passer la revue de toutes les baraques qui se pavanent à ces époques solennelles.

Elles se faisaient, en vérité, une concurrence formidable : elles piaillaient, beuglaient, hurlaient. C'était un mélange de cris, de détonations de cuivre et d'explosions de fusées. Les queuesrouges et les Jocrisses convulsaient les traits de leurs visages basanés, racornis par le vent, la pluie et le soleil ; ils lançaient, avec l'aplomb des comédiens sûrs de leurs effets, des bons mots et des plaisanteries d'un comique solide et lourd, comme celui de Molière. Les Hercules, fiers de l'énormité de leurs membres, sans front et sans crâne, comme les orangs-outangs, se prélassaient majestueusement sous les maillots lavés la veille pour la circonstance. Les danseuses, belles comme des fées ou des princesses, sautaient et cabriolaient sous le feu des lanternes qui remplissaient leurs jupes d'étincelles.

Tout n'était que lumière, poussière, cris, joie, tumulte ; les uns dépensaient, les autres gagnaient, les uns et les autres également joyeux. Les enfants se suspendaient aux jupons de leurs mères pour obtenir quelque bâton de sucre, ou montaient sur les épaules de leurs pères pour mieux voir un escamoteur éblouissant comme un dieu. Et partout circulait, dominant tous les parfums, une odeur de friture qui était comme l'encens de cette fête.

Au bout, à l'extrême bout de la rangée de baraques, comme si, honteux, il s'était exilé lui-même de toutes ces splendeurs, je vis un pauvre saltimbanque, voûté, caduc, décrépit, une ruine d'homme, adossé contre un des poteaux de sa cahute ; une cahute plus misérable que celle du sauvage le plus abruti, et dont deux bouts de chandelles, coulants et fumants, éclairaient trop bien encore la détresse.

Partout la joie, le gain, la débauche ; partout la certitude du pain pour les lendemains ; partout l'explosion frénétique de la vitalité. Ici la misère absolue, la misère affublée, pour comble d'horreur, de haillons comiques, où la nécessité, bien plus que l'art, avait introduit le contraste. Il ne riait pas, le misérable! Il ne pleurait pas, il ne dansait pas, il ne gesticulait pas, il ne criait pas; il ne chantait aucune chanson, ni gaie, ni lamentable, il n'implorait pas. Il était muet et immobile. Il avait renoncé, il avait abdiqué. Sa destinée était faite.

Mais quel regard profond, inoubliable, il promenait sur la foule et les lumières, dont le flot mouvant s'arrêtait à quelques pas de sa répulsive misère! Je sentis ma gorge serrée par la main terrible de l'hystérie, et il me sembla que mes regards étaient offusqués par ces larmes rebelles qui ne veulent pas tomber.

Que faire? À quoi bon demander à l'infortuné quelle curiosité, quelle merveille il avait à montrer dans ces ténèbres puantes, derrière son rideau déchiqueté? En vérité, je n'osais; et dût la raison de ma timidité vous faire rire, j'avouerai que je craignais de l'humilier. Enfin, je venais de me résoudre à déposer en passant quelque argent sur une de ses planches, espérant qu'il devinerait mon intention, quand un grand reflux du peuple, causé par je ne sais quel trouble, m'entraîna loin de lui.

Et, m'en retournant, obsédé par cette vision, je cherchai à analyser ma soudaine douleur, et je me dis: Je viens de voir l'image du vieil homme de lettres qui a survécu à la génération dont il fut le brillant amuseur; du vieux poëte sans amis, sans famille, sans enfants, dégradé par sa misère et par l'ingratitude publique, et dans la baraque de qui le monde oublieux ne veut plus entrer!

LE GÂTEAU

Je voyageais. Le paysage au milieu duquel j'étais placé était d'une grandeur et d'une noblesse irrésistibles. Il en passa sans doute en ce moment quelque chose dans son âme. Mes pensées volti-geaient avec une légèreté égale à celle de l'atmo-sphère; les passions vulgaires, telles que la haine et l'amour profane, m'apparaissaient maintenant aussi éloignées que les nuées qui défilaient au fond des abîmes sous mes pieds; mon âme me semblait aussi vaste et aussi pure que la coupole du ciel dont j'étais enveloppé; le souvenir des choses terrestres n'arrivait à mon cœur qu'affaibli et diminué, comme le son de la clochette des bes-tiaux imperceptibles qui paraissaient loin, bien loin, sur le versant d'une autre montagne. Sur le petit lac immobile, noir de son immense profon-deur, passait quelquefois l'ombre d'un nuage, comme le reflet du manteau d'un géant aérien volant à travers le ciel. Et je me souviens que cette sensation solennelle et rare, causée par un grand mouvement parfaitement silencieux, me remplis-sait d'une joie mêlée de peur. Bref, je me sentais grâce à l'enthousiasmante beauté dont j'étais environné, en parfaite paix avec moi-même et avec l'univers; je crois même que, dans ma par-

faite béatitude et dans mon total oubli de tout le
mal terrestre, j'en étais venu à ne plus trouver si
ridicules les journaux qui prétendent que
l'homme est né bon; — quand la matière
incurable renouvelant ses exigences, je songeai à
réparer la fatigue et à soulager l'appétit causés
par une si longue ascension. Je tirai de ma poche
un gros morceau de pain, une tasse de cuir et un
flacon d'un certain élixir que les pharmaciens
vendaient dans ce temps-là aux touristes pour le
mêler à l'occasion avec l'eau de neige.

Je découpais tranquillement mon pain, quand
un bruit très-léger me fit lever les yeux. Devant
moi se tenait un petit être déguenillé, noir, ébou-
riffé, dont les yeux creux, farouches et comme
suppliants, dévoraient le morceau de pain. Et je
l'entendis soupirer, d'une voix basse et rauque, le
mot : *gâteau !* Je ne pus m'empêcher de rire en
entendant l'appellation dont il voulait bien hono-
rer mon pain presque blanc, et j'en coupai pour
lui une belle tranche que je lui offris. Lentement il
se rapprocha, ne quittant pas des yeux l'objet de
sa convoitise; puis, happant le morceau avec sa
main, se recula vivement, comme s'il eût craint
que mon offre ne fût pas sincère ou que je m'en
repentisse déjà.

Mais au même instant il fut culbuté par un
autre petit sauvage, sorti je ne sais d'où, et si parfaitement semblable au premier qu'on aurait pu
le prendre pour son frère jumeau. Ensemble ils
roulèrent sur le sol, se disputant la précieuse
proie, aucun n'en voulant sans doute sacrifier la
moitié pour son frère. Le premier, exaspéré,
empoigna le second par les cheveux; celui-ci lui
saisit l'oreille avec les dents, et en cracha un petit
morceau sanglant avec un superbe juron patois.
Le légitime propriétaire du gâteau essaya d'enfon-

cer ses petites griffes dans les yeux de l'usurpa-
teur; à son tour celui-ci appliqua toutes ses forces
à étrangler son adversaire d'une main, pendant
que de l'autre il tâchait de glisser dans sa poche le
prix du combat. Mais, ravivé par le désespoir, le
vaincu se redressa et fit rouler le vainqueur par
terre d'un coup de tête dans l'estomac. À quoi bon
décrire une lutte hideuse qui dura en vérité plus
longtemps que leurs forces enfantines ne semblaient le promettre? Le gâteau voyageait de
main en main et changeait de poche à chaque instant; mais, hélas! il changeait aussi de volume; et
lorsque enfin, exténués, haletants, sanglants, ils
s'arrêtèrent par impossibilité de continuer, il n'y
avait plus, à vrai dire, aucun sujet de bataille; le
morceau de pain avait disparu, et il était éparpillé
en miettes semblables aux grains de sable auxquels il était mêlé.

Ce spectacle m'avait embrumé le paysage, et la
joie calme où s'ébaudissait mon âme avant d'avoir
vu ces petits hommes avait totalement disparu;
j'en restai triste assez longtemps, me répétant
sans cesse : « Il y a donc un pays superbe où le
pain s'appelle du *gâteau*, friandise si rare qu'elle
suffit pour engendrer une guerre parfaitement
fratricide! »

L'HORLOGE

Les Chinois voient l'heure dans l'œil des chats.

Un jour un missionnaire, se promenant dans la banlieue de Nankin, s'aperçut qu'il avait oublié sa montre, et demanda à un petit garçon quelle heure il était.

Le gamin du céleste Empire hésita d'abord; puis, se ravisant, il répondit : « Je vais vous le dire. » Peu d'instants après, il reparut, tenant dans ses bras un fort gros chat, et le regardant, comme on dit, dans le blanc des yeux, il affirma sans hésiter : « Il n'est pas encore tout à fait midi. » Ce qui était vrai.

Pour moi, si je me penche vers la belle Féline, la si bien nommée, qui est à la fois l'honneur de son sexe, l'orgueil de mon cœur et le parfum de mon esprit, que ce soit la nuit, que ce soit le jour, dans la pleine lumière ou dans l'ombre opaque, au fond de ses yeux adorables je vois toujours l'heure distinctement, toujours la même, une heure vaste, solennelle, grande comme l'espace, sans division de minutes ni de secondes, — une heure immobile qui n'est pas marquée sur les horloges, et cependant légère comme un soupir, rapide comme un coup d'œil.

Et si quelque importun venait me déranger

pendant que mon regard repose sur ce délicieux cadran, si quelque Génie malhonnête et intolérant, quelque Démon du contre-temps venait me dire : « Que regardes-tu là avec tant de soin ? Que cherches-tu dans les yeux de cet être ? Y vois-tu l'heure, mortel prodigue et fainéant ? » je répondrais sans hésiter : « Oui, je vois l'heure ; il est l'Éternité ! »

N'est-ce pas, madame, que voici un madrigal vraiment méritoire, et aussi emphatique que vous-même ? En vérité, j'ai eu tant de plaisir à broder cette prétentieuse galanterie, que je ne vous demanderai rien en échange.

UN HÉMISPHÈRE
DANS UNE CHEVELURE

Laisse-moi respirer longtemps, longtemps, l'odeur de tes cheveux, y plonger tout mon visage, comme un homme altéré dans l'eau d'une source, et les agiter avec ma main comme un mouchoir odorant, pour secouer des souvenirs dans l'air.

Si tu pouvais savoir tout ce que je vois! tout ce que je sens! tout ce que j'entends dans tes cheveux! Mon âme voyage sur le parfum comme l'âme des autres hommes sur la musique.

Tes cheveux contiennent tout un rêve, plein de voilures et de mâtures, ils contiennent de grandes mers dont les moussons me portent vers de charmants climats, où l'espace est plus bleu et plus profond, où l'atmosphère est parfumée par les fruits, par les feuilles et par la peau humaine.

Dans l'océan de ta chevelure, j'entrevois un port fourmillant de chants mélancoliques, d'hommes vigoureux de toutes nations et de navires de toutes formes découpant leurs architectures fines et compliquées sur un ciel immense où se prélasse l'éternelle chaleur.

Dans les caresses de ta chevelure, je retrouve les langueurs des longues heures passées sur un divan, dans la chambre d'un beau navire, bercées par le roulis imperceptible du port, entre les pots de fleurs et les gargoulettes rafraîchissantes.

Dans l'ardent foyer de ta chevelure, je respire l'odeur du tabac mêlée à l'opium et au sucre ; dans la nuit de ta chevelure, je vois resplendir l'infini de l'azur tropical ; sur les rivages duvetés de ta chevelure, je m'enivre des odeurs combinées du goudron, du musc et de l'huile de coco.

Laisse-moi mordre longtemps tes tresses lourdes et noires. Quand je mordille tes cheveux élastiques et rebelles, il me semble que je mange des souvenirs.

L'INVITATION AU VOYAGE

Il est un pays superbe, un pays de Cocagne, dit-on, que je rêve de visiter avec une vieille amie. Pays singulier, noyé dans les brumes de notre Nord, et qu'on pourrait appeler l'Orient de l'Occident, la Chine de l'Europe, tant la chaude et capricieuse fantaisie s'y est donné carrière, tant elle l'a patiemment et opiniâtrement illustré de ses savantes et délicates végétations.

Un vrai pays de Cocagne, où tout est beau, riche, tranquille, honnête; où le luxe a plaisir à se mirer dans l'ordre; où la vie est grasse et douce à respirer; d'où le désordre, la turbulence et l'imprévu sont exclus; où le bonheur est marié au silence; où la cuisine elle-même est poétique, grasse et excitante à la fois; où tout vous ressemble, mon cher ange.

Tu connais cette maladie fiévreuse qui s'empare de nous dans les froides misères, cette nostalgie du pays qu'on ignore, cette angoisse de la curiosité? Il est une contrée qui te ressemble, où tout est beau, riche, tranquille et honnête, où la fantaisie a bâti et décoré une Chine occidentale, où la vie est douce à respirer, où le bonheur est marié au silence. C'est là qu'il faut aller vivre, c'est là qu'il faut aller mourir!

Oui, c'est là qu'il faut aller respirer, rêver et allonger les heures par l'infini des sensations. Un musicien a écrit l'*Invitation à la valse*; quel est celui qui composera l'*Invitation au voyage*, qu'on puisse offrir à la femme aimée, à la sœur d'élection?

Oui, c'est dans cette atmosphère qu'il ferait bon vivre, — là-bas, où les heures plus lentes contiennent plus de pensées, où les horloges sonnent le bonheur avec une plus profonde et plus significative solennité.

Sur des panneaux luisants, ou sur des cuirs dorés et d'une richesse sombre, vivent discrètement des peintures béates, calmes et profondes, comme les âmes des artistes qui les créèrent. Les soleils couchants, qui colorent si richement la salle à manger ou le salon, sont tamisés par de belles étoffes ou par ces hautes fenêtres ouvragées que le plomb divise en nombreux compartiments. Les meubles sont vastes, curieux, bizarres, armés de serrures et de secrets comme des âmes raffinées. Les miroirs, les métaux, les étoffes, l'orfèvrerie et la faïence y jouent pour les yeux une symphonie muette et mystérieuse; et de toutes choses, de tous les coins, des fissures des tiroirs et des plis des étoffes s'échappe un parfum singulier, un *revenez-y* de Sumatra, qui est comme l'âme de l'appartement.

Un vrai pays de Cocagne, te dis-je, où tout est riche, propre et luisant, comme une belle conscience, comme une magnifique batterie de cuisine, comme une splendide orfèvrerie, comme une bijouterie bariolée! Les trésors du monde y affluent, comme dans la maison d'un homme laborieux et qui a bien mérité du monde entier. Pays singulier, supérieur aux autres, comme l'Art l'est à la Nature, où celle-ci est réformée par le rêve, où elle est corrigée, embellie, refondue.

Qu'ils cherchent, qu'ils cherchent encore, qu'ils reculent sans cesse les limites de leur bonheur, ces alchimistes de l'horticulture! Qu'ils proposent des prix de soixante et de cent mille florins pour qui résoudra leurs ambitieux problèmes! Moi, j'ai trouvé ma *tulipe noire* et mon *dahlia bleu*!

Fleur incomparable, tulipe retrouvée, allégorique dahlia, c'est là, n'est-ce pas, dans ce beau pays si calme et si rêveur, qu'il faudrait aller vivre et fleurir? Ne serais-tu pas encadrée dans ton analogie, et ne pourrais-tu pas te mirer, pour parler comme les mystiques, dans ta propre *correspondance*?

Des rêves! toujours des rêves! et plus l'âme est ambitieuse et délicate, plus les rêves l'éloignent du possible. Chaque homme porte en lui sa dose d'opium naturel, incessamment sécrétée et renouvelée, et, de la naissance à la mort, combien comptons-nous d'heures remplies par la jouissance positive, par l'action réussie et décidée? Vivrons-nous jamais, passerons-nous jamais dans ce tableau qu'a peint mon esprit, ce tableau qui te ressemble?

Ces trésors, ces meubles, ce luxe, cet ordre, ces parfums, ces fleurs miraculeuses, c'est toi. C'est encore toi, ces grands fleuves et ces canaux tranquilles. Ces énormes navires qu'ils charrient, tout chargés de richesses, et d'où montent les chants monotones de la manœuvre, ce sont mes pensées qui dorment ou qui roulent sur ton sein. Tu les conduis doucement vers la mer qui est l'Infini, tout en réfléchissant les profondeurs du ciel dans la limpidité de ta belle âme; — et quand, fatigués par la houle et gorgés des produits de l'Orient, ils rentrent au port natal, ce sont encore mes pensées enrichies qui reviennent de l'Infini vers toi.

LE JOUJOU DU PAUVRE

Je veux donner l'idée d'un divertissement innocent. Il y a si peu d'amusements qui ne soient pas coupables! Quand vous sortirez le matin avec l'intention décidée de flâner sur les grandes routes, remplissez vos poches de petites inventions à un sol, — telles que le polichinelle plat mû par un seul fil, les forgerons qui battent l'enclume, le cavalier et son cheval dont la queue est un sifflet, — et le long des cabarets, au pied des arbres, faites-en hommage aux enfants inconnus et pauvres que vous rencontrerez. Vous verrez leurs yeux s'agrandir démesurément. D'abord ils n'oseront pas prendre; ils douteront de leur bonheur. Puis leurs mains agripperont vivement le cadeau, et ils s'enfuiront comme font les chats qui vont manger loin de vous le morceau que vous leur avez donné, ayant appris à se défier de l'homme.

Sur une route, derrière la grille d'un vaste jardin, au bout duquel apparaissait la blancheur d'un joli château frappé par le soleil, se tenait un enfant beau et frais, habillé de ces vêtements de campagne si pleins de coquetterie.

Le luxe, l'insouciance et le spectacle habituel de la richesse rendent ces enfants-là si jolis, qu'on les croirait faits d'une autre pâte que les enfants de la médiocrité ou de la pauvreté.

À côté de lui, gisait sur l'herbe un joujou splendide, aussi frais que son maître, verni, doré, vêtu d'une robe pourpre, et couvert de plumets et de verroteries. Mais l'enfant ne s'occupait pas de son joujou préféré, et voici ce qu'il regardait :

De l'autre côté de la grille, sur la route, entre les chardons et les orties, il y avait un autre enfant, sale, chétif, fuligineux, un de ces marmots-parias dont un œil impartial découvrirait la beauté, si, comme l'œil du connaisseur devine une peinture idéale sous un vernis de carrossier, il le nettoyait de la répugnante patine de la misère.

À travers ces barreaux symboliques séparant deux mondes, la grande route et le château, l'enfant pauvre montrait à l'enfant riche son propre joujou, que celui-ci examinait avidement comme un objet rare et inconnu. Or, ce joujou, que le petit souillon agaçait, agitait et secouait dans une boîte grillée, c'était un rat vivant ! Les parents, par économie sans doute, avaient tiré le joujou de la vie elle-même.

Et les deux enfants se riaient l'un à l'autre fraternellement, avec des dents d'une *égale* blancheur.

LES DONS DES FÉES

C'était grande assemblée des Fées, pour procéder à la répartition des dons parmi tous les nouveau-nés, arrivés à la vie depuis vingt-quatre heures.

Toutes ces antiques et capricieuses Sœurs du Destin, toutes ces Mères bizarres de la joie et de la douleur, étaient fort diverses : les unes avaient l'air sombre et rechigné, les autres, un air folâtre et malin ; les unes, jeunes, qui avaient toujours été jeunes ; les autres, vieilles, qui avaient toujours été vieilles.

Tous les pères qui ont foi dans les Fées étaient venus, chacun apportant son nouveau-né dans ses bras.

Les Dons, les Facultés, les bons Hasards, les Circonstances invincibles, étaient accumulés à côté du tribunal, comme les prix sur l'estrade, dans une distribution de prix. Ce qu'il y avait ici de particulier, c'est que les Dons n'étaient pas la récompense d'un effort, mais tout au contraire une grâce accordée à celui qui n'avait pas encore vécu, une grâce pouvant déterminer sa destinée et devenir aussi bien la source de son malheur que de son bonheur.

Les pauvres Fées étaient très-affairées ; car la

foule des solliciteurs était grande, et le monde intermédiaire, placé entre l'homme et Dieu, est soumis comme nous à la terrible loi du Temps et de son infinie postérité, les Jours, les Heures, les Minutes, les Secondes.

En vérité, elles étaient aussi ahuries que des ministres un jour d'audience, ou des employés du Mont-de-Piété quand une fête nationale autorise les dégagements gratuits. Je crois même qu'elles regardaient de temps à autre l'aiguille de l'horloge avec autant d'impatience que des juges humains qui, siégeant depuis le matin, ne peuvent s'empêcher de rêver au dîner, à la famille et à leurs chères pantoufles. Si, dans la justice surnaturelle, il y a un peu de précipitation et de hasard, ne nous étonnons pas qu'il en soit de même quelquefois dans la justice humaine. Nous serions nous-mêmes, en ce cas, des juges injustes.

Aussi furent commises ce jour-là quelques bourdes qu'on pourrait considérer comme bizarres, si la prudence, plutôt que le caprice, était le caractère distinctif, éternel des Fées.

Ainsi la puissance d'attirer magnétiquement la fortune fut adjugée à l'héritier unique d'une famille très riche, qui, n'étant doué d'aucun sens de charité, non plus que d'aucune convoitise pour les biens les plus visibles de la vie, devait se trouver plus tard prodigieusement embarrassé de ses millions.

Ainsi furent donnés l'amour du Beau et la Puissance poétique au fils d'un sombre gueux, carrier de son état, qui ne pouvait, en aucune façon, aider les facultés, ni soulager les besoins de sa déplorable progéniture.

J'ai oublié de vous dire que la distribution, en ces cas solennels, est sans appel, et qu'aucun don ne peut être refusé.

Toutes les Fées se levaient, croyant leur corvée
accomplie; car il ne restait plus aucun cadeau,
aucune largesse à jeter à tout ce fretin humain,
quand un brave homme, un pauvre petit commer-
çant, je crois, se leva, et empoignant par sa robe
de vapeurs multicolores la Fée qui était le plus à
sa portée, s'écria :

« Eh ! Madame ! vous nous oubliez ! il y a encore
mon petit ! Je ne veux pas être venu pour rien. »

La Fée pouvait être embarrassée; car il ne restait plus *rien*. Cependant elle se souvint à temps
d'une loi bien connue, quoique rarement appliquée, dans le monde surnaturel, habité par ces
déités impalpables, amies de l'homme, et souvent
contraintes de s'adapter à ses passions, telles que
les Fées, les Gnomes, les Salamandres, les Syl-
phides, les Sylphes, les Nixes, les Ondins et les
Ondines, — je veux parler de la loi qui concède
aux Fées, dans un cas semblable à celui-ci, c'est-à-
dire le cas d'épuisement des lots, la faculté d'en
donner encore un, supplémentaire et exceptionnel, pourvu toutefois qu'elle ait l'imagination suffisante pour le créer immédiatement.

Donc la bonne Fée répondit, avec un aplomb
digne de son rang : « Je donne à ton fils... Je lui
donne... le *Don de plaire !* »

« Mais plaire comment ? plaire... ? plaire pourquoi ? » demanda opiniâtrement le petit bouti-
quier, qui était sans doute un de ces raisonneurs
si communs, incapables de s'élever jusqu'à la
logique de l'Absurde.

« Parce que ! parce que ! » répliqua la Fée cour-
roucée, en lui tournant le dos; et rejoignant le
cortège de ses compagnes, elle leur disait : « Comment trouvez-vous ce petit Français vaniteux, qui
veut tout comprendre, et qui ayant obtenu pour
son fils le meilleur des lots, ose encore interroger
et discuter l'indiscutable ? »

LES TENTATIONS
OU ÉROS, PLUTUS ET LA GLOIRE

Deux superbes Satans et une Diablesse, non moins extraordinaire, ont la nuit dernière monté l'escalier mystérieux par où l'Enfer donne assaut à la faiblesse de l'homme qui dort, et communique en secret avec lui. Et ils sont venus se poser glorieusement devant moi, debout comme sur une estrade. Une splendeur sulfureuse émanait de ces trois personnages, qui se détachaient ainsi du fond opaque de la nuit. Ils avaient l'air si fier et si plein de domination, que je les pris d'abord tous les trois pour de vrais Dieux.

Le visage du premier Satan était d'un sexe ambigu, et il y avait aussi, dans les lignes de son corps, la mollesse des anciens Bacchus. Ses beaux yeux languissants, d'une couleur ténébreuse et indécise, ressemblaient à des violettes chargées encore des lourds pleurs de l'orage, et ses lèvres entrouvertes à des cassolettes chaudes, d'où s'exhalait la bonne odeur d'une parfumerie ; et à chaque fois qu'il soupirait, des insectes musqués s'illuminaient, en voletant, aux ardeurs de son souffle.

Autour de sa tunique de pourpre était roulé, en manière de ceinture, un serpent chatoyant qui, la tête relevée, tournait langoureusement vers lui ses

yeux de braise. À cette ceinture vivante étaient
suspendus, alternant avec des fioles pleines de
liqueurs sinistres, de brillants couteaux et des instruments de chirurgie. Dans sa main droite il
tenait une autre fiole dont le contenu était d'un
rouge lumineux, et qui portait pour étiquette ces
mots bizarres : « Buvez, ceci est mon sang, un
parfait cordial » ; dans la gauche, un violon qui lui
servait sans doute à chanter ses plaisirs et ses
douleurs, et à répandre la contagion de sa folie
dans les nuits de sabbat.

À ses chevilles délicates traînaient quelques
anneaux d'une chaîne d'or rompue, et quand la
gêne qui en résultait le forçait à baisser les yeux
vers la terre, il contemplait vaniteusement les
ongles de ses pieds, brillants et polis comme des
pierres bien travaillées.

Il me regarda avec ses yeux inconsolablement
navrés, d'où s'écoulait une insidieuse ivresse, et il
me dit d'une voix chantante : « Si tu veux, si tu
veux, je te ferai le seigneur des âmes, et tu seras le
maître de la matière vivante, plus encore que le
sculpteur peut l'être de l'argile ; et tu connaîtras le
plaisir, sans cesse renaissant, de sortir de toi-
même pour t'oublier dans autrui, et d'attirer les
autres âmes jusqu'à les confondre avec la
tienne. »

Et je lui répondis : « Grand merci ! je n'ai que
faire de cette pacotille d'êtres qui, sans doute, ne
valent pas mieux que mon pauvre moi. Bien que
j'aie quelque honte à me souvenir, je ne veux rien
oublier ; et quand même je ne te connaîtrais pas,
vieux monstre, ta mystérieuse coutellerie, tes
fioles équivoques, les chaînes dont tes pieds sont
empêtrés, sont des symboles qui expliquent assez
clairement les inconvénients de ton amitié. Garde
tes présents. »

Le second Satan n'avait ni cet air à la fois tragique et souriant, ni ces belles manières insi-
nuantes, ni cette beauté délicate et parfumée.
C'était un homme vaste, à gros visage sans yeux,
dont la lourde bedaine surplombait les cuisses, et
dont toute la peau était dorée et illustrée, comme
d'un tatouage, d'une foule de petites figures mouvantes représentant les formes nombreuses de la
misère universelle. Il y avait de petits hommes
efflanqués qui se suspendaient volontairement à
un clou; il y avait de petits gnomes difformes,
maigres, dont les yeux suppliants réclamaient
l'aumône mieux encore que leurs mains trem-
blantes; et puis de vieilles mères portant des avor-
tons accrochés à leurs mamelles exténuées. Il y en
avait encore bien d'autres.

Le gros Satan tapait avec son poing sur son
immense ventre, d'où sortait alors un long et
retentissant cliquetis de métal, qui se terminait en
un vague gémissement fait de nombreuses voix
humaines. Et il riait, en montrant impudemment
ses dents gâtées, d'un énorme rire imbécile,
comme certains hommes de tous les pays quand
ils ont trop bien dîné.

Et celui-là me dit : « Je puis te donner ce qui
obtient tout, ce qui vaut tout, ce qui remplace
tout ! » Et il tapa sur son ventre monstrueux, dont
l'écho sonore fit le commentaire de sa grossière
parole.

Je me détournai avec dégoût et je répondis :
« Je n'ai besoin, pour ma jouissance, de la misère
de personne; et je ne veux pas d'une richesse
attristée, comme un papier de tenture, de tous les
malheurs représentés sur ta peau. »

Quant à la Diablesse, je mentirais si je n'avouais
pas qu'à première vue je lui trouvai un bizarre
charme. Pour définir ce charme, je ne saurais le

comparer à rien de mieux qu'à celui des très-
belles femmes sur le retour, qui cependant ne
vieillissent plus, et dont la beauté garde la magie
pénétrante des ruines. Elle avait l'air à la fois
impérieux et dégingandé, et ses yeux, quoique
battus, contenaient une force fascinatrice. Ce qui
me frappa le plus, ce fut le mystère de sa voix,
dans laquelle je retrouvais le souvenir des
contralti les plus délicieux et aussi un peu de
l'enrouement des gosiers incessamment lavés par
l'eau-de-vie.

« Veux-tu connaître ma puissance? » dit la
fausse déesse avec sa voix charmante et paradoxale. « Écoute. »

Et elle emboucha alors une gigantesque trompette, enrubannée, comme un mirliton, des titres
de tous les journaux de l'univers, et à travers cette
trompette elle cria mon nom, qui roula ainsi à
travers l'espace avec le bruit de cent mille ton-
nerres, et me revint répercuté par l'écho de la plus
lointaine planète.« Diable! » fis-je, à moitié subjugué, « voilà qui est précieux! » Mais en examinant plus attentivement la séduisante virago, il
me sembla vaguement que je la reconnaissais
pour l'avoir vue trinquant avec quelques drôles de
ma connaissance; et le son rauque du cuivre
apporta à mes oreilles je ne sais quel souvenir
d'une trompette prostituée.

Aussi je répondis, avec tout mon dédain : « Va-
t'en! Je ne suis pas fait pour épouser la maîtresse
de certains que je ne veux pas nommer. »

Certes, d'une si courageuse abnégation j'avais le
droit d'être fier. Mais malheureusement je me
réveillai, et toute ma force m'abandonna. « En
vérité, me dis-je, il fallait que je fusse bien lourdement assoupi pour montrer de tels scrupules. Ah!
s'ils pouvaient revenir pendant que je suis éveillé,
je ne ferais pas tant le délicat! »

Et je les invoquai à haute voix, les suppliant de me pardonner, leur offrant de me déshonorer aussi souvent qu'il le faudrait pour mériter leurs faveurs; mais je les avais sans doute fortement offensés, car ils ne sont jamais revenus.

XXII

LE CRÉPUSCULE DU SOIR

Le jour tombe. Un grand apaisement se fait dans les pauvres esprits fatigués du labeur de la journée; et leurs pensées prennent maintenant les couleurs tendres et indécises du crépuscule.

Cependant du haut de la montagne arrive à mon balcon, à travers les nues transparentes du soir, un grand hurlement, composé d'une foule de cris discordants, que l'espace transforme en une lugubre harmonie, comme celle de la marée qui monte ou d'une tempête qui s'éveille.

Quels sont les infortunés que le soir ne calme pas, et qui prennent, comme les hiboux, la venue de la nuit pour un signal de sabbat? Cette sinistre ululation nous arrive du noir hospice perché sur la montagne; et, le soir, en fumant et en contemplant le repos de l'immense vallée, hérissée de maisons dont chaque fenêtre dit : « C'est ici la paix maintenant; c'est ici la joie de la famille! » je puis, quand le vent souffle de là-haut, bercer ma pensée étonnée à cette imitation des harmonies de l'enfer.

Le crépuscule excite les fous. — Je me souviens que j'ai eu deux amis que le crépuscule rendait tout malades. L'un méconnaissait alors tous les rapports d'amitié et de politesse, et maltraitait, comme un sauvage, le premier venu. Je l'ai vu jeter à la tête d'un maître d'hôtel un excellent poulet, dans lequel il croyait voir je ne sais quel insultant hiéroglyphe. Le soir, précurseur des voluptés profondes, lui gâtait les choses les plus succulentes.

L'autre, un ambitieux blessé, devenait, à mesure que le jour baissait, plus aigre, plus sombre, plus taquin. Indulgent et sociable encore pendant la journée, il était impitoyable le soir; et ce n'était pas seulement sur autrui, mais aussi sur lui-même, que s'exerçait rageusement sa manie crépusculeuse.

Le premier est mort fou, incapable de reconnaître sa femme et son enfant; le second porte en lui l'inquiétude d'un malaise perpétuel, et fût-il gratifié de tous les honneurs que peuvent conférer les républiques et les princes, je crois que le crépuscule allumerait encore en lui la brûlante envie de distinctions imaginaires. La nuit, qui mettait ses ténèbres dans leur esprit, fait la lumière dans le mien; et, bien qu'il ne soit pas rare de voir la même cause engendrer deux effets contraires, j'en suis toujours comme intrigué et alarmé.

Ô nuit! ô rafraîchissantes ténèbres! vous êtes pour moi le signal d'une fête intérieure, vous êtes la délivrance d'une angoisse! Dans la solitude des plaines, dans les labyrinthes pierreux d'une capitale, scintillement des étoiles, explosion des lanternes, vous êtes le feu d'artifice de la déesse Liberté.

Crépuscule, comme vous êtes doux et tendre! Les lueurs roses qui traînent encore à l'horizon comme l'agonie du jour sous l'oppression victorieuse de sa nuit, les feux des candélabres qui font des taches d'un rouge opaque sur les dernières gloires du couchant, les lourdes draperies qu'une main invisible attire des profondeurs de l'Orient, imitent tous les sentiments compliqués qui luttent dans le cœur de l'homme aux heures solennelles de la vie.

On dirait encore une de ces robes étranges de danseuses, où une gaze transparente et sombre laisse entrevoir les splendeurs amorties d'une jupe éclatante, comme sous le noir présent transperce le délicieux passé; et les étoiles vacillantes d'or et d'argent, dont elle est semée, représentent ces feux de la fantaisie qui ne s'allument bien que sous le deuil profond de la Nuit.

LA SOLITUDE

Un gazetier philanthrope me dit que la solitude est mauvaise pour l'homme; et à l'appui de sa thèse il cite, comme tous les incrédules, des paroles des Pères de l'Église.

Je sais que le Démon fréquente volontiers les lieux arides, et que l'Esprit de meurtre et de lubricité s'enflamme merveilleusement dans les solitudes. Mais il serait possible que cette solitude ne fût dangereuse que pour l'âme oisive et divagante qui la peuple de ses passions et de ses chimères.

Il est certain qu'un bavard, dont le suprême plaisir consiste à parler du haut d'une chaire ou d'une tribune, risquerait fort de devenir fou furieux dans l'île de Robinson. Je n'exige pas de mon gazetier les courageuses vertus de Crusoé, mais je demande qu'il ne décrète pas d'accusation les amoureux de la solitude et du mystère.

Il y a dans nos races jacassières des individus qui accepteraient avec moins de répugnance le supplice suprême, s'il leur était permis de faire du haut de l'échafaud une copieuse harangue, sans craindre que les tambours de Santerre ne leur coupassent intempestivement la parole.

Je ne les plains pas, parce que je devine que leurs effusions oratoires leur procurent des volup-

tés égales à celles que d'autres tirent du silence et
du recueillement ; mais je les méprise.

Je désire surtout que mon maudit gazetier me
laisse m'amuser à ma guise. « Vous n'éprouvez
donc jamais, — me dit-il, avec un ton de nez très-
apostolique, — le besoin de partager vos jouissances ? » Voyez-vous le subtil envieux ! Il sait que
je dédaigne les siennes, et il vient s'insinuer dans
les miennes, le hideux trouble-fête !

« Ce grand malheur de ne pouvoir être seul !... »
dit quelque part La Bruyère, comme pour faire
honte à tous ceux qui courent s'oublier dans la
foule, craignant sans doute de ne pouvoir se supporter eux-mêmes.

« Presque tous nos malheurs nous viennent de
n'avoir pas su rester dans notre chambre », dit un
autre sage, Pascal, je crois, rappelant ainsi dans la
cellule du recueillement tous ces affolés qui
cherchent le bonheur dans le mouvement et dans
une prostitution que je pourrais appeler *fraterni-
taire*, si je voulais parler la belle langue de mon
siècle.

XXIV

LES PROJETS

Il se disait, en se promenant dans un grand parc solitaire : « Comme elle serait belle dans un costume de cour, compliqué et fastueux, descendant, à travers l'atmosphère d'un beau soir, les degrés de marbre d'un palais, en face des grandes pelouses et des bassins ! Car elle a naturellement l'air d'une princesse. »

En passant plus tard dans une rue, il s'arrêta devant une boutique de gravures, et, trouvant dans un carton une estampe représentant un paysage tropical, il se dit : « Non ! ce n'est pas dans un palais que je voudrais posséder sa chère vie. Nous n'y serions pas *chez nous*. D'ailleurs ces murs criblés d'or ne laisseraient pas une place pour accrocher son image ; dans ces solennelles galeries, il n'y a pas un coin pour l'intimité. Décidément, c'est *là* qu'il faudrait demeurer pour cultiver le rêve de ma vie. »

Et, tout en analysant des yeux les détails de la gravure, il continuait mentalement : « Au bord de la mer, une belle case en bois, enveloppée de tous ces arbres bizarres et luisants dont j'ai oublié les noms…, dans l'atmosphère, une odeur enivrante, indéfinissable…, dans la case un puissant parfum de rose et de musc..., plus loin, derrière notre petit domaine, des bouts de mâts balancés par la houle..., autour de nous, au-delà de la chambre éclairée d'une lumière rose tamisée par les stores, décorée de nattes fraîches et de fleurs capiteuses, avec de rares sièges d'un rococo portugais, d'un bois lourd et ténébreux (où elle reposerait si calme, si bien éventée, fumant le tabac légèrement opiacé !), au-delà de la varangue, le tapage des oiseaux ivres de lumières, et le jacassement des petites négresses..., et, la nuit, pour servir d'accompagnement à mes songes, le chant plaintif des arbres à musique, des mélancoliques filaos ! Oui, en vérité, c'est bien *là* le décor que je cherchais. Qu'ai-je à faire de palais ? »

Et plus loin, comme il suivait une grande avenue, il aperçut une auberge proprette, où d'une fenêtre égayée par des rideaux d'indienne bariolée se penchaient deux têtes rieuses. Et tout de suite : « Il faut, — se dit-il, — que ma pensée soit une grande vagabonde pour aller chercher si loin ce qui est si près de moi. Le plaisir et le bonheur sont dans la première auberge venue, dans l'auberge du hasard, si féconde en voluptés. Un grand feu, des faïences voyantes, un souper passable, un vin rude, et un lit très-large avec des draps un peu âpres, mais frais ; quoi de mieux ? »

Et en rentrant seul chez lui, à cette heure où les conseils de la Sagesse ne sont plus étouffés par les bourdonnements de la vie extérieure, il se dit : « J'ai eu aujourd'hui, en rêve, trois domiciles où j'ai trouvé un égal plaisir. Pourquoi contraindre mon corps à changer de place, puisque mon âme voyage si lestement ? Et à quoi bon exécuter des projets, puisque le projet est en lui-même une jouissance suffisante ? »

XXV

LA BELLE DOROTHÉE

Le soleil accable la ville de sa lumière droite et terrible; le sable est éblouissant et la mer miroite. Le monde stupéfié s'affaisse lâchement et fait la sieste, une sieste qui est une espèce de mort savoureuse où le dormeur, à demi éveillé, goûte les voluptés de son anéantissement.

Cependant Dorothée, forte et fière comme le soleil, s'avance dans la rue déserte, seule vivante à cette heure sous l'immense azur, et faisant sur la lumière une tache éclatante et noire.

Elle s'avance, balançant mollement son torse si mince sur ses hanches si larges. Sa robe de soie collante, d'un ton clair et rose, tranche vivement sur les ténèbres de sa peau et moule exactement sa taille longue, son dos creux et sa gorge pointue.

Son ombrelle rouge, tamisant la lumière, projette sur son visage sombre le fard sanglant de ses reflets.

Le poids de son énorme chevelure presque bleue tire en arrière sa tête délicate et lui donne un air triomphant et paresseux. De lourdes pendeloques gazouillent secrètement à ses mignonnes oreilles.

De temps en temps la brise de mer soulève par le coin sa jupe flottante et montre sa jambe luisante et superbe; et son pied, pareil aux pieds des déesses de marbre que l'Europe enferme dans ses musées, imprime fidèlement sa forme sur le sable fin. Car Dorothée est si prodigieusement coquette que le plaisir d'être admirée l'emporte chez elle sur l'orgueil de l'affranchie, et, bien qu'elle soit libre, elle marche sans souliers.

Elle s'avance ainsi, harmonieusement, heureuse de vivre et souriant d'un blanc sourire, comme si elle apercevait au loin dans l'espace un miroir reflétant sa démarche et sa beauté.

À l'heure où les chiens eux-mêmes gémissent de douleur sous le soleil qui les mord, quel puissant motif fait donc aller ainsi la paresseuse Dorothée, belle et froide comme le bronze?

Pourquoi a-t-elle quitté sa petite case si coquettement arrangée, dont les fleurs et les nattes font à si peu de frais un parfait boudoir; où elle prend tant de plaisir à se peigner, à fumer, à se faire éventer ou à se regarder dans le miroir de ses grands éventails de plumes, pendant que la mer, qui bat la plage à cent pas de là, fait à ses rêveries indécises un puissant et monotone accompagnement, et que la marmite de fer, où cuit un ragoût de crabes au riz et au safran, lui envoie, du fond de la cour, ses parfums excitants?

Peut-être a-t-elle un rendez-vous avec quelque jeune officier qui, sur des plages lointaines, a entendu parler par ses camarades de la célèbre Dorothée. Infailliblement elle le priera, la simple créature, de lui décrire le bal de l'Opéra, et lui demandera si on peut y aller pieds nus, comme aux danses du dimanche, où les vieilles Cafrines elles-mêmes deviennent ivres et furieuses de joie; et puis encore si les belles dames de Paris sont toutes plus belles qu'elle.

Dorothée est admirée et choyée de tous, et elle

serait parfaitement heureuse si elle n'était obligée d'entasser piastre sur piastre pour racheter sa petite sœur qui a bien onze ans, et qui est déjà mûre, et si belle. Elle réussira sans doute, la bonne Dorothée; le maître de l'enfant est si avare, trop avare, pour comprendre une autre beauté que celle des écus!

XXVI

LES YEUX DES PAUVRES

Ah! vous voulez savoir pourquoi je vous hais
aujourd'hui. Il vous sera sans doute moins facile
de le comprendre qu'à moi de vous l'expliquer;
car vous êtes, je crois, le plus bel exemple
d'imperméabilité féminine qui se puisse rencontrer.

Nous avions passé ensemble une longue journée qui m'avait paru courte. Nous nous étions
bien promis que toutes nos pensées nous seraient
communes à l'un et à l'autre, et que nos deux
âmes désormais n'en feraient plus qu'une; — un
rêve qui n'a rien d'original, après tout, si ce n'est
que, rêvé par tous les hommes, il n'a été réalisé
par aucun.

Le soir, un peu fatiguée, vous voulûtes vous
asseoir devant un café neuf qui formait le coin
d'un boulevard neuf, encore tout plein de gravois
et montrant déjà glorieusement ses splendeurs
inachevées. Le café étincelait. Le gaz lui-même y
déployait toute l'ardeur d'un début, et éclairait de
toutes ses forces les murs aveuglants de blancheur, les nappes éblouissantes des miroirs, les
ors des baguettes et des corniches, les pages aux
joues rebondies traînées par les chiens en laisse,
les dames riant au faucon perché sur leur poing,

les nymphes et les déesses portant sur leur tête
des fruits, des pâtés et du gibier, les Hébés et les
Ganymèdes présentant à bras tendu la petite
amphore à bavaroises ou l'obélisque bicolore des
glaces panachées ; toute l'histoire et toute la
mythologie mises au service de la goinfrerie.

Droit devant nous, sur la chaussée, était planté
un brave homme d'une quarantaine d'années, au
visage fatigué, à la barbe grisonnante, tenant
d'une main un petit garçon et portant sur l'autre
bras un petit être trop faible pour marcher. Il
remplissait l'office de bonne et faisait prendre à
ses enfants l'air du soir. Tous en guenilles. Ces
trois visages étaient extraordinairement sérieux,
et ces six yeux contemplaient fixement le café
nouveau avec une admiration égale, mais nuancée diversement par l'âge.

Les yeux du père disaient : « Que c'est beau !
que c'est beau ! on dirait que tout l'or du pauvre
monde est venu se porter sur ces murs. » — Les
yeux du petit garçon : « Que c'est beau ! que c'est
beau ! mais c'est une maison où peuvent seuls
entrer les gens qui ne sont pas comme nous. » —
Quant aux yeux du plus petit, ils étaient trop fas-
cinés pour exprimer autre chose qu'une joie stu-
pide et profonde.

Les chansonniers disent que le plaisir rend
l'âme bonne et amollit le cœur. La chanson avait
raison ce soir-là, relativement à moi. Non-seulement j'étais attendri par cette famille d'yeux, mais
je me sentais un peu honteux de nos verres et de
nos carafes, plus grands que notre soif. Je tour-
nais mes regards vers les vôtres, cher amour, pour
y lire *ma* pensée ; je plongeais dans vos yeux si
beaux et si bizarrement doux, dans vos yeux verts,
habités par le Caprice et inspirés par la Lune,
quand vous me dîtes : « Ces gens-là me sont

insupportables avec les yeux ouverts comme des portes cochères! Ne pourriez-vous pas prier le maître du café de les éloigner d'ici? »

Tant il est difficile de s'entendre, mon cher ange, et tant la pensée est incommunicable, même entre gens qui s'aiment!

UNE MORT HÉROÏQUE

Fancioulle était un admirable bouffon, et presque un des amis du Prince. Mais pour les personnes vouées par état au comique, les choses sérieuses ont de fatales attractions, et, bien qu'il puisse paraître bizarre que les idées de patrie et de liberté s'emparent despotiquement du cerveau d'un histrion, un jour Fancioulle entra dans une conspiration formée par quelques gentilshommes mécontents.

Il existe partout des hommes de bien pour dénoncer au pouvoir ces individus d'humeur atrabilaire qui veulent déposer les princes et opérer, sans la consulter, le déménagement d'une société. Les seigneurs en question furent arrêtés, ainsi que Fancioulle, et voués à une mort certaine.

Je croirais volontiers que le Prince fut presque fâché de trouver son comédien favori parmi les rebelles. Le Prince n'était ni meilleur ni pire qu'un autre ; mais une excessive sensibilité le rendait, en beaucoup de cas, plus cruel et plus despote que tous ses pareils. Amoureux passionné des beaux-arts, excellent connaisseur d'ailleurs, il était vraiment insatiable de voluptés. Assez indifférent relativement aux hommes et à la morale, véritable artiste lui-même, il ne connaissait d'ennemi dan-

gereux que l'Ennui, et les efforts bizarres qu'il faisait pour fuir ou pour vaincre ce tyran du monde
lui auraient certainement attiré, de la part d'un
historien sévère, l'épithète de « monstre », s'il
avait été permis, dans ses domaines, d'écrire quoi
que ce fût qui ne tendît pas uniquement au plaisir
ou à l'étonnement, qui est une des formes les plus
délicates du plaisir. Le grand malheur de ce
Prince fut qu'il n'eut jamais un théâtre assez vaste
pour son génie. Il y a de jeunes Nérons qui
étouffent dans des limites trop étroites, et dont les
siècles à venir ignoreront toujours le nom et la
bonne volonté. L'imprévoyante Providence avait
donné à celui-ci des facultés plus grandes que ses
États.

Tout d'un coup le bruit courut que le souverain
voulait faire grâce à tous les conjurés; et l'origine
de ce bruit fut l'annonce d'un grand spectacle où
Fancioulle devait jouer l'un de ses principaux et
ses meilleurs rôles, et auquel assisteraient même,
disait-on, les gentilshommes condamnés; signe
évident, ajoutaient les esprits superficiels, des
tendances généreuses du Prince offensé.

De la part d'un homme aussi naturellement et
volontairement excentrique, tout était possible,
même la vertu, même la clémence, surtout s'il
avait pu espérer y trouver des plaisirs inattendus.
Mais pour ceux qui, comme moi, avaient pu péné-
trer plus avant dans les profondeurs de cette âme
curieuse et malade, il était infiniment plus probable que le Prince voulait juger de la valeur des
talents scéniques d'un homme condamné à mort.
Il voulait profiter de l'occasion pour faire une
expérience physiologique d'un intérêt *capital*, et
vérifier jusqu'à quel point les facultés habituelles
d'un artiste pouvaient être altérées ou modifiées
par la situation extraordinaire où il se trouvait;

au-delà, existait-il dans son âme une intention plus ou moins arrêtée de clémence? C'est un point qui n'a jamais pu être éclairci.

Enfin, le grand jour arrivé, cette petite cour déploya toutes ses pompes, et il serait difficile de concevoir, à moins de l'avoir vu, toute ce que la classe privilégiée d'un petit État, à ressources restreintes, peut montrer de splendeurs pour une vraie solennité. Celle-là était doublement vraie, d'abord par la magie du luxe étalé, ensuite par l'intérêt moral et mystérieux qui y était attaché.

Le sieur Fancioulle excellait surtout dans les rôles muets ou peu chargés de paroles, qui sont souvent les principaux dans ces drames féeriques dont l'objet est de représenter symboliquement le mystère de la vie. Il entra en scène légèrement et avec une aisance parfaite, ce qui contribua à fortifier, dans le noble public, l'idée de douceur et de pardon.

Quand on dit d'un comédien : « Voilà un bon comédien », on se sert d'une formule qui implique que sous le personnage se laisse encore deviner le comédien, c'est-à-dire l'art, l'effort, la volonté. Or, si un comédien arrivait à être, relativement au personnage qu'il est chargé d'exprimer, ce que les meilleures statues de l'antiquité, miraculeusement animées, vivantes, marchantes, voyantes, seraient relativement à l'idée générale et confuse de beauté, ce serait là, sans doute, un cas singulier et tout à fait imprévu. Fancioulle fut, ce soir-là, une parfaite idéalisation, qu'il était impossible de ne pas supposer vivante, possible, réelle. Ce bouffon allait, venait, riait, pleurait, se convulsait, avec une indestructible auréole autour de la tête, auréole invisible pour tous, mais visible pour moi, et où se mêlaient, dans un étrange amalgame, les rayons de l'Art et la gloire du Martyre,

Fancioulle introduisait, par je ne sais quelle grâce spéciale, le divin et le surnaturel, jusque dans les plus extravagantes bouffonneries. Ma plume tremble et des larmes d'une émotion toujours présente me montent aux yeux pendant que je cherche à vous décrire cette inoubliable soirée. Fancioulle me prouvait, d'une manière péremptoire, irréfutable, que l'ivresse de l'Art est plus apte que toute autre à voiler les terreurs du gouffre; que le génie peut jouer la comédie au bord de la tombe avec une joie qui l'empêche de voir la tombe, perdu, comme il est, dans un paradis excluant toute idée de tombe et de destruction.

Tout ce public, si blasé et frivole qu'il pût être, subit bientôt la toute-puissante domination de l'artiste. Personne ne rêva plus de mort, de deuil, ni de supplices. Chacun s'abandonna, sans inquiétude, aux voluptés multipliées que donne la vue d'un chef-d'œuvre d'art vivant. Les explosions de la joie et de l'admiration ébranlèrent à plusieurs reprises les voûtes de l'édifice avec l'énergie d'un tonnerre continu. Le Prince lui-même, enivré, mêla ses applaudissements à ceux de sa cour.

Cependant, pour un œil clairvoyant, son ivresse, à lui, n'était pas sans mélange. Se sentait-il vaincu dans son pouvoir de despote? humilié dans son art de terrifier les cœurs et d'engourdir les esprits? frustré de ses espérances et bafoué dans ses prévisions? De telles suppositions non exactement justifiées, mais non absolument injustifiables, traversèrent mon esprit pendant que je contemplais le visage du Prince, sur lequel une pâleur nouvelle s'ajoutait sans cesse à sa pâleur habituelle, comme la neige s'ajoute à la neige. Ses lèvres se resserraient de plus en plus, et ses yeux s'éclairaient d'un feu intérieur semblable à celui de la jalousie et de la rancune, même pendant qu'il applaudissait ostensiblement les talents de son vieil ami, l'étrange bouffon, qui bouffonnait si bien la mort. À un certain moment, je vis Son Altesse se pencher vers un petit page, placé derrière elle, et lui parler à l'oreille. La physionomie espiègle du joli enfant s'illumina d'un sourire ; et puis il quitta vivement la loge princière, comme pour s'acquitter d'une commission urgente.

Quelques minutes plus tard un coup de sifflet aigu, prolongé, interrompit Fancioulle dans un de ses meilleurs moments, et déchira à la fois les oreilles et les cœurs. Et de l'endroit de la salle d'où avait jailli cette désapprobation inattendue, un enfant se précipitait dans un corridor, avec des rires étouffés.

Fancioulle, secoué, réveillé dans son rêve, ferma d'abord les yeux, puis les rouvrit presque aussitôt, démesurément agrandis, ouvrit ensuite la bouche comme pour respirer convulsivement, chancela un peu en avant, un peu en arrière, et puis tomba roide mort sur les planches.

Le sifflet, rapide comme un glaive, avait-il réellement frustré le bourreau ? Le Prince avait-il lui-même deviné toute l'homicide efficacité de sa ruse ? Il est permis d'en douter. Regretta-t-il son cher et inimitable Fancioulle ? Il est doux et légitime de le croire.

Les gentilshommes coupables avaient joui pour la dernière fois du spectacle de la comédie. Dans la même nuit ils furent effacés de la vie.

Depuis lors, plusieurs mimes, justement appréciés dans différents pays, sont venus jouer devant la cour de***; mais aucun d'eux n'a pu rappeler les merveilleux talents de Fancioulle, ni s'élever jusqu'à la même *faveur*.

XXVIII

LA FAUSSE MONNAIE

Comme nous nous éloignions du bureau de
tabac, mon ami fit un soigneux triage de sa monnaie ; dans la poche gauche de son gilet il glissa de
petites pièces d'or ; dans la droite, de petites pièces d'argent ; dans la poche de sa culotte, une
masse de gros sols, et enfin, dans la droite, une
pièce d'argent de deux francs qu'il avait particulièrement examinée.

« Singulière et minutieuse répartition ! » me
dis-je en moi-même.

Nous fîmes la rencontre d'un pauvre qui nous
tendit sa casquette en tremblant. — Je ne connais
rien de plus inquiétant que l'éloquence muette de
ces yeux suppliants, qui contiennent à la fois,
pour l'homme sensible qui sait y lire, tant d'humi-
lité, tant de reproches. Il trouve quelque chose
approchant cette profondeur de sentiment
compliqué, dans les yeux larmoyants des chiens
qu'on fouette.

L'offrande de mon ami fut beaucoup plus consi-
dérable que la mienne, et je lui dis : « Vous avez raison ; après le plaisir d'être étonné, il n'en est pas de
plus grand que celui de causer une surprise. —
C'était la pièce fausse », me répondit-il tranquillement, comme pour se justifier de sa prodigalité.

Mais dans mon misérable cerveau, toujours
occupé à chercher midi à quatorze heures (de
quelle fatigante faculté la nature m'a fait
cadeau!), entra soudainement cette idée qu'une
pareille conduite, de la part de mon ami, n'était
excusable que par le désire de créer un événement
dans la vie de ce pauvre diable, peut-être même
de connaître les conséquences diverses, funestes
ou autres, que peut engendrer une pièce fausse
dans la main d'un mendiant. Ne pouvait-elle pas
se multiplier en pièces vraies? ne pouvait-elle pas
aussi le conduire en prison? Un cabaretier, un
boulanger, par exemple, allait peut-être le faire
arrêter comme faux monnayeur ou comme pro-
pagateur de fausse monnaie. Tout aussi bien la
pièce fausse serait peut-être, pour un pauvre petit
spéculateur, le germe d'une richesse de quelques
jours. Et ainsi ma fantaisie allait son train, prê-
tant des ailes à l'esprit de mon ami et tirant toutes
les déductions possibles de toutes les hypothèses
possibles.

Mais celui-ci rompit brusquement ma rêverie
en reprenant mes propres paroles : « Oui, vous
avez raison; il n'est pas de plaisir plus doux que
de surprendre un homme en lui donnant plus
qu'il n'espère. »

Je le regardais dans le blanc des yeux, et je fus
épouvanté de voir que ses yeux brillaient d'une
incontestable candeur. Je vis alors clairement
qu'il avait voulu faire à la fois la charité et une
bonne affaire; gagner quarante sols et le cœur de
Dieu; emporter le paradis économiquement;
enfin attraper gratis un brevet d'homme charitable. Je lui aurais presque pardonné le désir de la
criminelle jouissance dont je le supposais tout à
l'heure capable; j'aurais trouvé curieux, singulier,
qu'il s'amusât à compromettre les pauvres; mais

je ne lui pardonnerai jamais l'ineptie de son calcul. On n'est jamais excusable d'être méchant,
mais il y a quelque mérite à savoir qu'on l'est ; et
le plus irréparable des vices est de faire le mal par
bêtise.

XXIX

LE JOUEUR GÉNÉREUX

Hier, à travers la foule du boulevard, je me suis senti frôlé par un Être mystérieux que j'avais toujours désiré connaître, et que je reconnus tout de suite, quoique je ne l'eusse jamais vu. Il y avait sans doute chez lui, relativement à moi, un désir analogue, car il me fit, en passant, un clignement d'œil significatif auquel je me hâtai d'obéir. Je le suivis attentivement, et bientôt, je descendis derrière lui dans une demeure souterraine, éblouissante, où éclatait un luxe dont aucune des habitations supérieures de Paris ne pourrait fournir un exemple approchant. Il me parut singulier que j'eusse pu passer si souvent à côté de ce prestigieux repaire sans en deviner l'entrée. Là régnait une atmosphère exquise, quoique capiteuse, qui faisait oublier presque instantanément toutes les fastidieuses horreurs de la vie; on y respirait une béatitude sombre, analogue à celle que durent éprouver les mangeurs de lotus quand, débarquant dans une île enchantée, éclairée des lueurs d'une éternelle après-midi, ils sentirent naître en eux, aux sons assoupissants des mélodieuses cascades, le désir de ne jamais revoir leurs pénates, leurs femmes, leurs enfants, et de ne jamais remonter sur les hautes lames de la mer.

Il y avait là des visages étranges d'hommes et de femmes, marqués d'une beauté fatale, qu'il me semblait avoir vus déjà à des époques et dans des pays dont il m'était impossible de me souvenir exactement, et qui m'inspiraient plutôt une sympathie fraternelle que cette crainte qui naît ordinairement à l'aspect de l'inconnu. Si je voulais essayer de définir d'une manière quelconque l'expression singulière de leurs regards, je dirais que jamais je ne vis d'yeux brillant plus énergiquement de l'horreur de l'ennui et du désir immortel de se sentir vivre.

Mon hôte et moi, nous étions déjà, en nous asseyant, de vieux et parfaits amis. Nous mangeâmes, nous bûmes outre mesure de toutes sortes de vins extraordinaires, et, chose non moins extraordinaire, il me semblait, après plusieurs heures, que je n'étais pas plus ivre que lui. Cependant le jeu, ce plaisir surhumain, avait coupé à divers intervalles nos fréquentes libations, et je dois dire que j'avais joué et perdu mon âme, en partie liée, avec une insouciance et une légèreté héroïques. L'âme est une chose si impalpable, si souvent inutile et quelquefois si gênante, que je n'éprouvai, quant à cette perte, qu'un peu moins d'émotion que si j'avais égaré, dans une promenade, ma carte de visite.

Nous fumâmes longuement quelques cigares dont la saveur et le parfum incomparables donnaient à l'âme la nostalgie de pays et de bonheurs inconnus, et, enivré de toutes ces délices, j'osai, dans un accès de familiarité qui ne parut pas lui déplaire, m'écrier, en m'emparant d'une coupe pleine jusqu'au bord : « À votre immortelle santé, vieux Bouc ! »

Nous causâmes aussi de l'univers, de sa création et de sa future destruction ; de la grande idée

du siècle, c'est-à-dire du progrès et de la perfecti-
bilité, et, en général, de toutes les formes de l'infatuation humaine. Sur ce sujet-là, Son Altesse ne
tarissait pas en plaisanteries légères et irréfu-
tables, et elle s'exprimait avec une suavité de dic-
tion et une tranquillité dans la drôlerie que je n'ai
trouvées dans aucun des plus célèbres causeurs
de l'humanité. Elle m'expliqua l'absurdité des différentes philosophies qui avaient jusqu'à présent
pris possession du cerveau humain et daigna
même me faire confidence de quelques principes
fondamentaux dont il ne me convient pas de partager les bénéfices et la propriété avec qui que ce
soit. Elle ne se plaignit en aucune façon de la
mauvaise réputation dont elle jouit dans toutes
les parties du monde, m'assura qu'elle était, elle-
même, la personne la plus intéressée à la destruction de la *superstition*, et m'avoua qu'elle n'avait
eu peur, relativement à son propre pouvoir,
qu'une seule fois, c'était le jour où elle avait
entendu un prédicateur, plus subtil que ses
confrères, s'écrier en chaire : « Mes chers frères,
n'oubliez jamais, quand vous entendrez vanter le
progrès des lumières, que la plus belle des ruses
du diable est de vous persuader qu'il n'existe
pas ! »

Le souvenir de ce célèbre orateur nous condui-
sit naturellement vers le sujet des académies, et
mon étrange convive m'affirma qu'il ne dédai-
gnait pas, en beaucoup de cas, d'inspirer la
plume, la parole et la conscience des pédagogues,
et qu'il assistait presque toujours en personne,
quoique invisible, à toutes les séances acadé-
miques.

Encouragé par tant de bontés, je lui demandai
des nouvelles de Dieu, et s'il l'avait vu récemment.
Il me répondit, avec une insouciance nuancée

d'une certaine tristesse : « Nous nous saluons quand nous nous rencontrons, mais comme deux vieux gentilshommes, en qui une politesse innée ne saurait éteindre tout à fait le souvenir d'anciennes rancunes. »

Il est douteux que Son Altesse ait jamais donné une si longue audience à un simple mortel, et je craignais d'abuser. Enfin, comme l'aube frissonnante blanchissait les vitres, ce célèbre personnage, chanté par tant de poëtes et servi par tant de philosophes qui travaillent à sa gloire sans le savoir, me dit : « Je veux que vous gardiez de moi un bon souvenir, et vous prouver que Moi, dont on dit tant de mal, je suis quelquefois *bon diable*, pour me servir d'une de vos locutions vulgaires. Afin de compenser la perte irrémédiable que vous avez faite de votre âme, je vous donne l'enjeu que vous auriez gagné si le sort avait été pour vous, c'est-à-dire la possibilité de soulager et de vaincre, pendant toute votre vie, cette bizarre affection de l'Ennui, qui est la source de toutes vos maladies et de tous vos misérables progrès. Jamais un désir ne sera formé par vous, que je ne vous aide à le réaliser; vous régnerez sur vos vulgaires semblables; vous serez fourni de flatteries et même d'adorations; l'argent, l'or, les diamants, les palais féeriques, viendront vous chercher et vous prieront de les accepter, sans que vous ayez fait un effort pour les gagner; vous changerez de patrie et de contrée aussi souvent que votre fantaisie vous l'ordonnera; vous vous soûlerez de voluptés, sans lassitude, dans des pays charmants où il fait toujours chaud et où les femmes sentent aussi bon que les fleurs, — et cætera, et cætera... », ajouta-t-il en se levant et en me congédiant avec un bon sourire.

Si ce n'eût été la crainte de l'humilier devant

une aussi grande assemblée, je serais volontiers tombé aux pieds de ce joueur généreux pour le remercier de son inouïe munificence. Mais peu à peu, après que je l'eus quitté, l'incurable défiance rentra dans mon sein; je n'osais plus croire à un si prodigieux bonheur, et, en me couchant, faisant encore ma prière par un reste d'habitude imbécile, je répétais dans un demi-sommeil : « Mon Dieu! Seigneur, mon Dieu! faites que le diable me tienne sa parole! »

XXX

LA CORDE

À Édouard Manet.

« Les illusions, — me disait mon ami, — sont
aussi innombrables peut-être que les rapports des
hommes entre eux, ou des hommes avec les
choses. Et quand l'illusion disparaît, c'est-à-dire
quand nous voyons l'être ou le fait tel qu'il existe
en dehors de nous, nous éprouvons un bizarre
sentiment, compliqué moitié de regret pour le
fantôme disparu, moitié de surprise agréable
devant la nouveauté, devant le fait réel. S'il existe
un phénomène évident, trivial, toujours semblable, et d'une nature à laquelle il soit impossible
de se tromper, c'est l'amour maternel. Il est aussi
difficile de supposer une mère sans amour maternel qu'une lumière sans chaleur ; n'est-il donc pas
parfaitement légitime d'attribuer à l'amour
maternel toutes les actions et les paroles d'une
mère, relatives à son enfant ? Et cependant, écou-
tez cette petite histoire, où j'ai été singulièrement
mystifié par l'illusion la plus naturelle.

« Ma profession de peinte me pousse à regarder
attentivement les visages, les physionomies qui
s'offrent dans ma route, et vous savez quelle jouissance nous tirons de cette faculté qui rend à nos

yeux la vie plus vivante et plus significative que
pour les autres hommes. Dans le quartier reculé
que j'habite, et où de vastes espaces gazonnés
séparent encore les bâtiments, j'observai souvent
un enfant dont la physionomie ardente et
espiègle, plus que toutes les autres, me séduisit
tout d'abord. Il a posé plus d'une fois pour moi, et
je l'ai transformé tantôt en petit bohémien, tantôt
en ange, tantôt en Amour mythologique. Je lui ai
fait porter le violon du vagabond, la Couronne
d'Épines et les Clous de la Passion, et la Torche
d'Eros. Je pris enfin à toute la drôlerie de ce
gamin un plaisir si vif, que je priai un jour ses
parents, de pauvres gens, de vouloir bien me le
céder, promettant de bien l'habiller, de lui donner
quelque argent et de ne pas lui imposer d'autre
peine que de nettoyer mes pinceaux et de faire
mes commissions. Cet enfant, débarbouillé,
devint charmant, et la vie qu'il menait chez moi
lui semblait un paradis, comparativement à celle
qu'il aurait subie dans le taudis paternel. Seulement je dois dire que ce petit bonhomme
m'étonna quelquefois par des crises singulières de
tristesse précoce, et qu'il manifesta bientôt un
goût immodéré pour le sucre et les liqueurs; si
bien qu'un jour où je constatai que, malgré mes
nombreux avertissements, il avait encore commis
un nouveau larcin de ce genre, je le menaçai de le
renvoyer à ses parents. Puis je sortis, et mes
affaires me retinrent assez longtemps hors de
chez moi.

« Quels ne furent pas mon horreur et mon étonnement quand, rentrant à la maison, le premier
objet qui frappa mon regard fut mon petit bonhomme, l'espiègle compagnon de ma vie, pendu
au panneau de cette armoire! Ses pieds tou-
chaient presque le plancher; une chaise, qu'il

avait sans doute repoussée du pied, était renversée à côté de lui ; sa tête était penchée convulsivement sur une épaule ; son visage, boursouflé, et ses yeux, tout grands ouverts avec une fixité effrayante, me causèrent d'abord l'illusion de la vie. Le dépendre n'était pas une besogne aussi facile que vous pouvez le croire. Il était déjà fort roide, et j'avais une répugnance inexplicable à le faire brusquement tomber sur le sol. Il fallait le soutenir tout entier avec un bras, et, avec la main de l'autre bras, couper la corde. Mais cela fait, tout n'était pas fini ; le petit monstre s'était servi d'une ficelle fort mince qui était entrée profondément dans les chairs, et il fallait maintenant, avec de minces ciseaux, chercher la corde entre les deux bourrelets de l'enflure, pour lui dégager le cou.

« J'ai négligé de vous dire que j'avais vivement appelé au secours ; mais tous mes voisins avaient refusé de me venir en aide, fidèles en cela aux habitudes de l'homme civilisé, qui ne veut jamais, je ne sais pourquoi, se mêler des affaires d'un pendu. Enfin vint un médecin qui déclara que l'enfant était mort depuis plusieurs heures. Quand, plus tard, nous eûmes à le déshabiller pour l'ensevelissement, la rigidité cadavérique était telle, que, désespérant de fléchir les membres, nous dûmes lacérer et couper les vêtements pour les lui enlever.

« Le commissaire, à qui, naturellement, je dus déclarer l'accident, me regarda de travers, et me dit : « Voilà qui est louche ! » mû sans doute par un désir invétéré et une habitude d'état de faire peur, à tout hasard, aux innocents comme aux coupables.

« Restait une tâche suprême à accomplir, dont la seule pensée me causait une angoisse terrible :

il fallait avertir les parents. Mes pieds refusaient de m'y conduire. Enfin j'eus ce courage. Mais, à mon grand étonnement, la mère fut impassible, pas une larme ne suinta du coin de son œil. J'attribuai cette étrangeté à l'horreur même qu'elle devait éprouver, et je me souvins de la sentence connue : « Les douleurs les plus terribles sont les douleurs muettes. » Quant au père, il se contenta de dire d'un air moitié abruti, moitié rêveur : « Après tout, cela vaut peut-être mieux ainsi ; il aurait toujours mal fini ! »

« Cependant le corps était étendu sur mon divan, et, assisté d'une servante, je m'occupais des derniers préparatifs, quand la mère entra dans mon atelier. Elle voulait, disait-elle, voir le cadavre de son fils. Je ne pouvais pas, en vérité, l'empêcher de s'enivrer de son malheur et lui refuser cette suprême et sombre consolation. Ensuite elle me pria de lui montrer l'endroit où son petit s'était pendu. « Oh ! non ! madame, — lui répondis-je, — cela vous ferait mal. » Et comme involontairement mes yeux se tournaient vers la funèbre armoire, je m'aperçus, avec un dégoût mêlé d'horreur et de colère, que le clou était resté fiché dans la paroi, avec un long bout de corde qui traînait encore. Je m'élançai vivement pour arracher ces derniers vestiges du malheur, et comme j'allais les lancer au-dehors par la fenêtre ouverte, la pauvre femme saisit mon bras et me dit d'une voix irrésistible : « Oh ! monsieur ! laissez-moi cela ! je vous en prie ! je vous en supplie ! » Son désespoir l'avait, sans doute, me parut-il, tellement affolée, qu'elle s'éprenait de tendresse maintenant pour ce qui avait servi d'instrument à la mort de son fils, et le voulait garder comme une horrible et chère relique. — Et elle s'empara du clou et de la ficelle.

« Enfin ! enfin ! tout était accompli. Il ne restait plus qu'à me remettre au travail, plus vivement encore que d'habitude, pour chasser peu à peu ce petit cadavre qui hantait les replis de mon cerveau, et dont le fantôme me fatiguait de ses grands yeux fixes. Mais le lendemain je reçus un paquet de lettres : les unes, des locataires de ma maison, quelques autres des maisons voisines ; l'une, du premier étage ; l'autre du second ; l'autre, du troisième, et ainsi de suite, les unes en style demi-plaisant, comme cherchant à déguiser sous un apparent badinage la sincérité de la demande ; les autres, lourdement effrontées et sans orthographe, mais toutes tendant au même but, c'est-à-dire à obtenir de moi un morceau de la funeste et béatifique corde. Parmi les signataires il y avait, je dois le dire, plus de femmes que d'hommes ; mais tous, croyez-le bien, n'appartenaient pas à la classe infime et vulgaire. J'ai gardé ces lettres.

« Et alors, soudainement, une lueur se fit dans mon cerveau, et je compris pourquoi la mère tenait tant à m'arracher la ficelle et par quel commerce elle entendait se consoler. »

XXXI

LES VOCATIONS

Dans un beau jardin où les rayons d'un soleil automnal semblaient s'attarder à plaisir, sous un ciel déjà verdâtre où des nuages d'or flottaient comme des continents en voyage, quatre beaux enfants, quatre garçons, las de jouer sans doute, causaient entre eux.

L'un disait : « Hier on m'a mené au théâtre. Dans des palais grands et tristes, au fond desquels on voit la mer et le ciel, des hommes et des femmes, sérieux et tristes aussi, mais bien plus beaux et bien mieux habillés que ceux que nous voyons partout, parlent avec une voix chantante. Ils se menacent, ils supplient, ils se désolent, et ils appuient souvent leur main sur un poignard enfoncé dans leur ceinture. Ah ! c'est bien beau ! Les femmes sont bien plus belles et bien plus grandes que celles qui viennent nous voir à la maison, et, quoique avec leurs grands yeux creux et leurs joues enflammées elles aient l'air terrible, on ne peut pas s'empêcher de les aimer. On a peur, on a envie de pleurer, et cependant l'on est content... Et puis, ce qui est plus singulier, cela donne envie d'être habillé de même, de dire et de faire les mêmes choses, et de parler avec la même voix... »

L'un des quatre enfants, qui depuis quelques
secondes n'écoutait plus le discours de son camarade et observait avec une fixité étonnante je ne
sais quel point du ciel, dit tout à coup : « Regardez, regardez là-bas...! *Le* voyez-vous ? Il est assis
sur ce petit nuage isolé, ce petit nuage couleur de
feu, qui marche doucement. *Lui* aussi, on dirait
qu'*il* nous regarde. »

« Mais qui donc ? » demandèrent les autres.

« Dieu ! » répondit-il avec un accent parfait de
conviction. « Ah ! il est déjà bien loin ; tout à
l'heure, vous ne pourrez plus le voir. Sans doute il
voyage, pour visiter tous les pays. Tenez, il va passer derrière cette rangée d'arbres qui est presque
à l'horizon... et maintenant il descend derrière le
clocher... Ah ! on ne le voit plus ! » Et l'enfant resta
longtemps tourné du même côté, fixant sur la
ligne qui sépare la terre du ciel des yeux où bril-
lait une inexplicable expression d'extase et de
regret.

« Est-il bête, celui-là, avec son bon Dieu, que lui
seul peut apercevoir ! » dit alors le troisième, dont
toute la petite personne était marquée d'une vivacité et d'une vitalité singulières. « Moi, je vais
vous raconter comment il m'est arrivé quelque
chose qui ne vous est jamais arrivé, et qui est un
peu plus intéressant que votre théâtre et vos
nuages. — Il y a quelques jours, mes parents
m'ont emmené en voyage avec eux, et, comme
dans l'auberge où nous nous sommes arrêtés, il
n'y avait pas assez de lits pour nous tous, il a été
décidé que je dormirais dans le même lit que ma
bonne. » — Il attira ses camarades près de lui, et
parla d'une voix plus basse. — « Ça fait un singulier effet, allez, de n'être pas couché seul et d'être
dans un lit avec sa bonne, dans les ténèbres.
Comme je ne dormais pas, je me suis amusé, pen-

dant qu'elle dormait, à passer ma main sur ses bras, sur son cou et sur ses épaules. Elle a les bras et le cou bien plus gros que toutes les autres femmes, et la peau en est si douce, si douce, qu'on dirait du papier à lettre ou du papier de soie. J'y avais tant de plaisir que j'aurais longtemps continué, si je n'avais pas eu peur, peur de la réveiller d'abord, et puis encore peur de je ne sais quoi. Ensuite j'ai fourré ma tête dans ses cheveux qui pendaient dans son dos, épais comme une crinière, et ils sentaient aussi bon, je vous assure, que les fleurs du jardin, à cette heure-ci. Essayez, quand vous pourrez, d'en faire autant que moi, et vous verrez ! »

Le jeune auteur de cette prodigieuse révélation avait, en faisant son récit, les yeux écarquillés par une sorte de stupéfaction de ce qu'il éprouvait encore, et les rayons du soleil couchant, en glissant à travers les boucles rousses de sa chevelure ébouriffée, y allumaient comme une auréole sulfureuse de passion. Il était facile de deviner que celui-là ne perdrait pas sa vie à chercher la Divinité dans les nuées, et qu'il la trouverait fréquemment ailleurs.

Enfin le quatrième dit : « Vous savez que je ne m'amuse guère à la maison ; on ne me mène jamais au spectacle ; mon tuteur est trop avare ; Dieu ne s'occupe pas de moi et de mon ennui, et je n'ai pas une belle bonne pour me dorloter. Il m'a souvent semblé que mon plaisir serait d'aller toujours droit devant moi, sans savoir où, sans que personne s'en inquiète, et de voir toujours des pays nouveaux. Je ne suis jamais bien nulle part, et je crois toujours que je serais mieux ailleurs que là où je suis. Eh bien ! j'ai vu, à la dernière foire du village voisin, trois hommes qui vivent comme je voudrais vivre. Vous n'y avez pas fait attention, vous autres. Ils étaient grands, presque noirs et très-fiers, quoique en guenilles, avec l'air de n'avoir besoin de personne. Leurs grands yeux sombres sont devenus tout à fait brillants pendant qu'ils faisaient de la musique ; une musique si surprenante qu'elle donne envie tantôt de danser, tantôt de pleurer, ou de faire les deux à la fois, et qu'on deviendrait comme fou si on les écoutait trop longtemps. L'un, en traînant son archet sur son violon, semblait raconter un chagrin, et l'autre, en faisant sautiller son petit marteau sur les cordes d'un petit piano suspendu à son cou par une courroie, avait l'air de se moquer de la plainte de son voisin, tandis que le troisième choquait de temps à autre ses cymbales avec une violence extraordinaire. Ils étaient si contents d'eux-mêmes, qu'ils ont continué à jouer leur musique de sauvages, même après que la foule s'est dispersée. Enfin ils ont ramassé leurs sous, ont chargé leur bagage sur leur dos, et sont partis. Moi, voulant savoir où ils demeuraient, je les ai suivis de loin, jusqu'au bord de la forêt, où j'ai compris seulement alors qu'ils ne demeuraient nulle part.

Alors l'un a dit : « Faut-il déployer la tente ? »

« Ma foi ! non ! » a répondu l'autre, « il fait une si belle nuit ! »

Le troisième disait en comptant la recette : « Ces gens-là ne sentent pas la musique, et leurs femmes dansent comme des ours. Heureusement, avant un mois nous serons en Autriche, où nous trouverons un peuple plus aimable. »

« Nous ferions peut-être mieux d'aller vers l'Espagne, car voici la saison qui s'avance ; fuyons avant les pluies et ne mouillons que notre gosier », a dit un des deux autres.

« J'ai tout retenu, comme vous voyez. Ensuite

ils ont bu chacun une tasse d'eau-de-vie et se sont
endormis, le front tourné vers les étoiles. J'avais
eu d'abord envie de les prier de m'emmener avec
eux et de m'apprendre à jouer de leurs instruments ; mais je n'ai pas osé, sans doute parce qu'il
est toujours très-difficile de se décider à n'importe
quoi, et aussi parce que j'avais peur d'être rat-
trapé avant d'être hors de France. »

L'air peu intéressé des trois autres camarades
me donna à penser que ce petit était déjà un
incompris. Je le regardais attentivement ; il y avait
dans son œil et dans son front ce je ne sais quoi
de précocement fatal qui éloigne généralement la
sympathie, et qui, je ne sais pourquoi, excitait la
mienne, au point que j'eus un instant l'idée
bizarre que je pouvais avoir un frère à moi-même
inconnu.

Le soleil s'était couché. La nuit solennelle avait
pris place. Les enfants se séparèrent, chacun
allant, à son insu, selon les circonstances et les
hasards, mûrir sa destinée, scandaliser ses
proches et graviter vers la gloire ou vers le dés-
honneur.

XXXII

LE THYRSE

À Franz Liszt.

Qu'est-ce qu'un thyrse ? selon le sens moral et poétique, c'est un emblème sacerdotal dans la main des prêtres et des prêtresses célébrant la divinité dont ils sont les interprètes et les serviteurs. Mais physiquement ce n'est qu'un bâton, un pur bâton, perche à houblon, tuteur de vigne, sec, dur et droit. Autour de ce bâton, dans des méandres capricieux, se jouent et folâtrent des tiges et des fleurs, celles-ci sinueuses et fuyardes, celles-là penchées comme des cloches ou des coupes renversées. Et une gloire étonnante jaillit de cette complexité de lignes et de couleurs, tendres ou éclatantes. Ne dirait-on pas que la ligne courbe et la spirale font leur cour à la ligne droite et dansent autour dans une muette adoration ? Ne dirait-on pas que toutes ces corolles délicates, tous ces calices, explosions de senteurs et de couleurs, exécutent un mystique fandango autour du bâton hiératique ? Et quel est, cependant, le mortel imprudent qui osera décider si les fleurs et les pampres ont été faits pour le bâton, ou si le bâton n'est que le prétexte pour montrer la beauté des pampres et des fleurs ? Le thyrse est

la représentation de votre étonnante dualité,
maître puissant et vénéré, cher Bacchant de la
Beauté mystérieuse et passionnée. Jamais
nymphe exaspérée par l'invincible Bacchus ne
secoua son thyrse sur les têtes de ses compagnes
affolées avec autant d'énergie et de caprice que
vous agitez votre génie sur les cœurs de vos frères.
— Le bâton, c'est votre volonté, droite, ferme et
inébranlable; les fleurs, c'est la promenade de
votre fantaisie autour de votre volonté; c'est l'élément féminin exécutant autour du mâle ses pres-
tigieuses pirouettes. Ligne droite et ligne ara-
besque, intention et expression, roideur de la
volonté, sinuosité du verbe, unité du but, variété
des moyens, amalgame tout-puissant et indivi-
sible du génie, quel analyste aura le détestable
courage de vous diviser et de vous séparer?

Cher Liszt, à travers les brumes, par delà les
fleuves, par-dessus les villes où les pianos
chantent votre gloire, où l'imprimerie traduit
votre sagesse, en quelque lieu que vous soyez,
dans les splendeurs de la ville éternelle ou dans
les brumes des pays rêveurs que console Gambri-
nus, improvisant des chants de délectation ou
d'ineffable douleur, ou confiant au papier vos
méditations abstruses, chantre de la Volupté et de
l'Angoisse éternelles, philosophe, poëte et artiste,
je vous salue en l'immortalité!

ENIVREZ-VOUS

Il faut être toujours ivre. Tout est là : c'est l'unique question. Pour ne pas sentir l'horrible fardeau du Temps qui brise vos épaules et vous penche vers la terre, il faut vous enivrer sans trêve.

Mais de quoi ? De vin, de poésie ou de vertu, à votre guise. Mais enivrez-vous.

Et si quelquefois, sur les marches d'un palais, sur l'herbe verte d'un fossé, dans la solitude morne de votre chambre, vous vous réveillez, l'ivresse déjà diminuée ou disparue, demandez au vent, à la vague, à l'étoile, à l'oiseau, à l'horloge, à tout ce qui fuit, à tout ce qui gémit, à tout ce qui roule, à tout ce qui chante, à tout ce qui parle, demandez quelle heure il est ; et le vent, la vague, l'étoile, l'oiseau, l'horloge, vous répondront : « Il est l'heure de s'enivrer ! Pour n'être pas les esclaves martyrisés du Temps, enivrez-vous ; enivrez-vous sans cesse ! De vin, de poésie ou de vertu, à votre guise. »

DÉJÀ!

Cent fois déjà le soleil avait jailli, radieux ou
attristé, de cette cuve immense de la mer dont les
bords ne se laissent qu'à peine apercevoir; cent
fois il s'était replongé, étincelant ou morose, dans
son immense bain du soir. Depuis nombre de
jours, nous pouvions contempler l'autre côté du
firmament et déchiffrer l'alphabet céleste des
antipodes. Et chacun des passagers gémissait et
grognait. On eût dit que l'approche de la terre
exaspérait leur souffrance. « Quand donc »,
disaient-ils, « cesserons-nous de dormir un sommeil secoué par la lame, troublé par un vent qui
ronfle plus haut que nous ? Quand pourrons-nous
manger de la viande qui ne soit pas salée comme
l'élément infâme qui nous porte ? Quand pourrons-nous digérer dans un fauteuil immobile ? »

Il y en avait qui pensaient à leur foyer, qui
regrettaient leurs femmes infidèles et maussades,
et leur progéniture criarde. Tous étaient si affolés
par l'image de la terre absente, qu'ils auraient, je
crois, mangé de l'herbe avec plus d'enthousiasme
que les bêtes.

Enfin un rivage fut signalé; et nous vîmes, en
approchant, que c'était une terre magnifique,
éblouissante. Il semblait que les musiques de la

vie s'en détachaient en un vague murmure, et que de ces côtes, riches en verdures de toute sorte, s'exhalait, jusqu'à plusieurs lieues, une délicieuse odeur de fleurs et de fruits.

Aussitôt chacun fut joyeux, chacun abdiqua sa mauvaise humeur. Toutes les querelles furent oubliées, tous les torts réciproques pardonnés ; les duels convenus furent rayés de la mémoire, et les rancunes s'envolèrent comme des fumées.

Moi seul j'étais triste, inconcevablement triste. Semblable à un prêtre à qui on arracherait sa divinité, je ne pouvais, sans une navrante amertume, me détacher de cette mer si monstrueusement séduisante, de cette mer si infiniment variée dans son effrayante simplicité, et qui semble contenir en elle et représenter par ses jeux, ses allures, ses colères et ses sourires, les humeurs, les agonies et les extases de toutes les âmes qui ont vécu, qui vivent et qui vivront !

En disant adieu à cette incomparable beauté, je me sentais abattu jusqu'à la mort ; et c'est pourquoi, quand chacun de mes compagnons dit : « Enfin ! » je ne pus crier que : « *Déjà !* »

Cependant c'était la terre, la terre avec ses bruits, ses passions, ses commodités, ses fêtes ; c'était une terre riche et magnifique, pleine de promesses, qui nous envoyait un mystérieux parfum de rose et de musc, et d'où les musiques de la vie nous arrivaient en un amoureux murmure.

LES FENÊTRES

Celui qui regarde du dehors à travers une fenêtre ouverte, ne voit jamais autant de choses que celui qui regarde une fenêtre fermée. Il n'est pas d'objet plus profond, plus mystérieux, plus fécond, plus ténébreux, plus éblouissant qu'une fenêtre éclairée d'une chandelle. Ce qu'on peut voir au soleil est toujours moins intéressant que ce qui se passe derrière une vitre. Dans ce trou noir ou lumineux vit la vie, rêve la vie, souffre la vie.

Par delà des vagues de toits, j'aperçois une femme mûre, ridée déjà, pauvre, toujours penchée sur quelque chose, et qui ne sort jamais. Avec son visage, avec son vêtement, avec son geste, avec presque rien, j'ai refait l'histoire de cette femme, ou plutôt sa légende, et quelquefois je me la raconte à moi-même en pleurant.

Si c'eût été un pauvre vieux homme, j'aurais refait la sienne tout aussi aisément.

Et je me couche, fier d'avoir vécu et souffert dans d'autres que moi-même.

Peut-être me direz-vous : « Es-tu sûr que cette légende soit la vraie ? » Qu'importe ce que peut être la réalité placée hors de moi, si elle m'a aidé à vivre, à sentir que je suis et ce que je suis ?

LE DÉSIR DE PEINDRE

Malheureux peut-être l'homme, mais heureux l'artiste que le désir déchire!

Je brûle de peindre celle qui m'est apparue si rarement et qui a fui si vite, comme une belle chose regrettable derrière le voyageur emporté dans la nuit. Comme il y a longtemps déjà qu'elle a disparu!

Elle est belle, et plus que belle; elle est surprenante. En elle le noir abonde: et tout ce qu'elle inspire est nocturne et profond. Ses yeux sont deux antres où scintille vaguement le mystère, et son regard illumine comme l'éclair: c'est une explosion dans les ténèbres.

Je la comparerais à un soleil noir, si l'on pouvait concevoir un astre noir versant la lumière et le bonheur. Mais elle fait plus volontiers penser à la lune, qui sans doute l'a marquée de sa redoutable influence; non pas la lune blanche des idylles, qui ressemble à une froide mariée, mais la lune sinistre et enivrante, suspendue au fond d'une nuit orageuse et bousculée par les nuées qui courent; non pas la lune paisible et discrète visitant le sommeil des hommes purs, mais la lune arrachée du ciel, vaincue et révoltée, que les Sorcières thessaliennes contraignent durement à danser sur l'herbe terrifiée!

Dans son petit front habitent la volonté tenace et l'amour de la proie. Cependant, au bas de ce visage inquiétant, où des narines mobiles aspirent l'inconnu et l'impossible, éclate, avec une grâce inexprimable, le rire d'une grande bouche, rouge et blanche, et délicieuse, qui fait rêver au miracle d'une superbe fleur éclose dans un terrain volcanique.

Il y a des femmes qui inspirent l'envie de les vaincre et de jouir d'elles; mais celle-ci donne le désir de mourir lentement sous son regard.

LES BIENFAITS DE LA LUNE

La Lune, qui est le caprice même, regarda par la fenêtre pendant que tu dormais dans ton berceau, et se dit : « Cette enfant me plaît. »

Et elle descendit moelleusement son escalier de nuages, et passa sans bruit à travers les vitres. Puis elle s'étendit sur toi avec la tendresse souple d'une mère, et elle déposa ses couleurs sur ta face. Tes prunelles en sont restées vertes, et tes joues extraordinairement pâles. C'est en contemplant cette visiteuse que tes yeux se sont si bizarrement agrandis ; et elle t'a si tendrement serrée à la gorge que tu en as gardé pour toujours l'envie de pleurer.

Cependant, dans l'expansion de sa joie, la Lune remplissait toute la chambre, comme une atmosphère phosphorique, comme un poison lumineux ; et toute cette lumière vivante pensait et disait : « Tu subiras éternellement l'influence de mon baiser. Tu seras belle à ma manière. Tu aimeras ce que j'aime et ce qui m'aime : l'eau, les nuages, le silence et la nuit ; la mer immense et verte ; l'eau informe et multiforme ; le lieu où tu ne seras pas ; l'amant que tu ne connaîtras pas ; les fleurs monstrueuses ; les parfums qui font délirer ; les chats qui se pâment sur les pianos et qui

gémissent comme les femmes, d'une voix rauque
et douce!

« Et tu seras aimée de mes amants, courtisée
par mes courtisans. Tu seras la reine des hommes
aux yeux verts dont j'ai serré aussi la gorge dans
mes caresses nocturnes; de ceux-là qui aiment la
mer, la mer immense, tumultueuse et verte, l'eau
informe et multiforme, le lieu où ils ne sont pas,
la femme qu'ils ne connaissent pas, les fleurs
sinistres qui ressemblent aux encensoirs d'une
religion inconnue, les parfums qui troublent la
volonté, et les animaux sauvages et voluptueux
qui sont les emblèmes de leur folie. »

Et c'est pour cela, maudite chère enfant gâtée,
que je suis maintenant couché à tes pieds, cherchant dans toute ta personne le reflet de la redoutable Divinité, de la fatidique marraine, de la
nourrice empoisonneuse de tous les *lunatiques*.

XXXVIII

LAQUELLE EST LA VRAIE?

J'ai connu une certaine Bénédicta, qui remplissait l'atmosphère d'idéal, et dont les yeux répandaient le désir de la grandeur, de la beauté, de la gloire et de tout ce qui fait croire à l'immortalité.

Mais cette fille miraculeuse était trop belle pour vivre longtemps; aussi est-elle morte quelques jours après que j'eus fait sa connaissance, et c'est moi-même qui l'ai enterrée, un jour que le printemps agitait son encensoir jusque dans les cimetières. C'est moi qui l'ai enterrée, bien close dans une bière d'un bois parfumé et incorruptible comme les coffres de l'Inde.

Et comme mes yeux restaient fichés sur le lieu où était enfoui mon trésor, je vis subitement une petite personne qui ressemblait singulièrement à la défunte, et qui, piétinant sur la terre fraîche avec une violence hystérique et bizarre, disait en éclatant de rire : « C'est moi, la vraie Bénédicta ! C'est moi, une fameuse canaille ! Et pour la punition de ta folie et de ton aveuglement, tu m'aimeras telle que je suis ! »

Mais moi, furieux, j'ai répondu : « Non ! non ! non ! » Et pour mieux accentuer mon refus, j'ai frappé si violemment la terre du pied que ma jambe s'est enfoncée jusqu'au genou dans la sépulture récente, et que, comme un loup pris au piège, je reste attaché, pour toujours peut-être, à la fosse de l'idéal.

XXXIX

UN CHEVAL DE RACE

Elle est bien laide. Elle est délicieuse pourtant !

Le Temps et l'Amour l'ont marquée de leurs griffes et lui ont cruellement enseigné ce que chaque minute et chaque baiser emportent de jeunesse et de fraîcheur.

Elle est vraiment laide ; elle est fourmi, araignée, si vous voulez, squelette même ; mais aussi elle est breuvage, magistère, sorcellerie ! en somme, elle est exquise.

Le Temps n'a pu rompre l'harmonie pétillante de sa démarche ni l'élégance indestructible de son armature. L'Amour n'a pas altéré la suavité de son haleine d'enfant ; et le Temps n'a rien arraché de son abondante crinière d'où s'exhale en fauves parfums toute la vitalité endiablée du Midi français : Nîmes, Aix, Arles, Avignon, Narbonne, Toulouse, villes bénies du soleil, amoureuses et charmantes !

Le Temps et l'Amour l'ont vainement mordue à belles dents ; ils n'ont rien diminué du charme vague, mais éternel, de sa poitrine garçonnière.

Usée peut-être, mais non fatiguée, et toujours héroïque, elle fait penser à ces chevaux de grande race que l'œil du véritable amateur reconnaît, même attelés à un carrosse de louage ou à un lourd chariot.

Et puis elle est si douce et si fervente! Elle aime comme on aime en automne; on dirait que les approches de l'hiver allument dans son cœur un feu nouveau, et la servilité de sa tendresse n'a jamais rien de fatigant.

LE MIROIR

Un homme épouvantable entre et se regarde dans la glace.

« — Pourquoi vous regardez-vous au miroir, puisque vous ne pouvez vous y voir qu'avec déplaisir ? »

L'homme épouvantable me répond : « — Monsieur, d'après les immortels principes de 89, tous les hommes sont égaux en droits ; donc je possède le droit de me mirer ; avec plaisir ou déplaisir, cela ne regarde que ma conscience. »

Au nom du bon sens, j'avais sans doute raison ; mais, au point de vue de la loi, il n'avait pas tort.

LE PORT

Un port est un séjour charmant pour une âme fatiguée des luttes de la vie. L'ampleur du ciel, l'architecture mobile des nuages, les colorations changeantes de la mer, le scintillement des phares, sont un prisme merveilleusement propre à amuser les yeux sans jamais les lasser. Les formes élancées des navires, au gréement compliqué, auxquels la houle imprime des oscillations harmonieuses, servent à entretenir dans l'âme le goût du rythme et de la beauté. Et puis, surtout, il y a une sorte de plaisir mystérieux et aristocratique pour celui qui n'a plus ni curiosité ni ambition, à contempler, couché dans le belvédère ou accoudé sur le môle, tous ces mouvements de ceux qui partent et de ceux qui reviennent, de ceux qui ont encore la force de vouloir, le désir de voyager ou de s'enrichir.

PORTRAITS DE MAÎTRESSES

Dans un boudoir d'hommes, c'est-à-dire dans un fumoir attenant à un élégant tripot, quatre hommes fumaient et buvaient. Ils n'étaient précisément ni jeunes ni vieux, ni beaux ni laids ; mais vieux ou jeunes, ils portaient cette distinction non méconnaissable des vétérans de la joie, cet indescriptible je ne sais quoi, cette tristesse froide et railleuse qui dit clairement : « Nous avons fortement vécu, et nous cherchons ce que nous pourrions aimer et estimer. »

L'un d'eux jeta la causerie sur le sujet des femmes. Il eût été plus philosophique de n'en pas parler du tout ; mais il y a des gens d'esprit qui, après boire, ne méprisent pas les conversations banales. On écoute alors celui qui parle, comme on écouterait de la musique de danse.

« Tous les hommes, disait celui-ci, ont eu l'âge de Chérubin : c'est l'époque où, faute de dryades, on embrasse, sans dégoût, le tronc des chênes. C'est le premier degré de l'amour. Au second degré, on commence à choisir. Pouvoir délibérer, c'est déjà une décadence. C'est alors qu'on recherche décidément la beauté. Pour moi, messieurs, je me fais gloire d'être arrivé, depuis longtemps, à l'époque climatérique du troisième degré où la beauté elle-même ne suffit plus, si elle n'est assaisonnée par le parfum, la parure, et caetera. J'avouerai même que j'aspire quelquefois, comme à un bonheur inconnu, à un certain quatrième degré qui doit marquer le calme absolu. Mais, durant toute ma vie, excepté à l'âge de Chérubin, j'ai été plus sensible que tout autre à l'énervante sottise, à l'irritante médiocrité des femmes. Ce que j'aime surtout dans les animaux, c'est leur candeur. Jugez donc combien j'ai dû souffrir par ma dernière maîtresse.

« C'était la bâtarde d'un prince. Belle, cela va sans dire; sans cela, pourquoi l'aurais-je prise? Mais elle gâtait cette grande qualité par une ambition malséante et difforme. C'était une femme qui voulait toujours faire l'homme. Vous n'êtes pas un homme! Ah! si j'étais un homme! De nous deux, c'est moi qui suis l'homme! » Tels étaient les insupportables refrains qui sortaient de cette bouche d'où je n'aurais voulu voir s'envoler que des chansons. À propos d'un livre, d'un poëme, d'un opéra pour lequel je laissais échapper mon admiration : Vous croyez peut-être que « cela est très-fort? disait-elle aussitôt; est-ce que « vous vous connaissez en force? » et elle argumentait.

« Un beau jour elle s'est mise à la chimie; de sorte qu'entre ma bouche et la sienne je trouvai désormais un masque de verre. Avec tout cela, fort bégueule. Si parfois je la bousculais par un geste un peu trop amoureux, elle se convulsait comme une sensitive violée...

— Comment cela a-t-il fini? dit l'un des trois autres. Je ne vous savais pas si patient.

— Dieu, reprit-il, mit le remède dans le mal. Un jour je trouvai cette Minerve, affamée de force idéale, en tête-à-tête avec mon domestique, et dans une situation qui m'obligea à me retirer dis-crètement pour ne pas les faire rougir. Le soir, je les congédiai tous les deux, en leur payant les arrérages de leurs gages.

— Pour moi, reprit l'interrupteur, je n'ai à me plaindre que de moi-même. Le bonheur est venu habiter chez moi, et je ne l'ai pas reconnu. La des-tinée m'avait, en ces derniers temps, octroyé la jouissance d'une femme qui était bien la plus douce, la plus soumise et la plus dévouée des créatures, et toujours prête! et sans enthou-siasme! « Je le veux bien, puisque cela vous est agréable. » C'était sa réponse ordinaire. Vous donneriez la bastonnade à ce mur ou à ce canapé, que vous en tireriez plus de soupirs que n'en tiraient du sein de ma maîtresse les élans de l'amour le plus forcené. Après un an de vie com-mune, elle m'avoua qu'elle n'avait jamais connu le plaisir. Je me dégoûtai de ce duel inégal, et cette fille incomparable se maria. J'eus plus tard la fan-taisie de la revoir, et elle me dit, en me montrant six beaux enfants : « Eh bien! mon cher ami, l'épouse est "encore aussi *vierge* que l'était votre maîtresse." Rien n'était changé dans cette per-sonne. Quelquefois je la regrette : j'aurais dû l'épouser. »

Les autres se mirent à rire, et un troisième dit à son tour :

« Messieurs, j'ai connu des jouissances que vous avez peut-être négligées. Je veux parler du comique dans l'amour, et d'un comique qui n'exclut pas l'admiration. J'ai plus admiré ma der-nière maîtresse que vous n'avez pu, je crois, haïr ou aimer les vôtres. Et tout le monde l'admirait autant que moi. Quand nous entrions dans un restaurant, au bout de quelques minutes, chacun oubliait de manger pour la contempler. Les gar-

çons eux-mêmes et la dame du comptoir ressen-
taient cette extase contagieuse jusqu'à oublier
leurs devoirs. Bref, j'ai vécu quelque temps en
tête-à-tête avec un *phénomène* vivant. Elle man-
geait, mâchait, broyait, dévorait, engloutissait,
mais avec l'air le plus léger et le plus insouciant
du monde. Elle m'a tenu ainsi longtemps en
extase. Elle avait une manière douce, rêveuse,
anglaise et romanesque de dire : "J'ai faim!" Et
elle répétait ces mots jour et nuit en montrant les
plus jolies dents du monde, qui vous eussent
attendris et égayés à la fois. — J'aurais pu faire
ma fortune en la montrant dans les foires comme
monstre polyphage. Je la nourrissais bien ; et
cependant elle m'a quitté...

— Pour un fournisseur aux vivres, sans doute ?

— Quelque chose d'approchant, une espèce
d'employé dans l'intendance qui, par quelque tour
de bâton à lui connu, fournit peut-être à cette
pauvre enfant la ration de plusieurs soldats. C'est
du moins ce que j'ai supposé...

— Moi, dit le quatrième, j'ai enduré des souffrances atroces par le contraire de ce qu'on
reproche en général à l'égoïste femelle. Je vous
trouve mal venus, trop fortunés mortels, à vous
plaindre des imperfections de vos maîtresses ! »

Cela fut dit d'un ton fort sérieux, par un homme
d'aspect doux et posé, d'une physionomie presque
cléricale, malheureusement illuminée par des
yeux d'un gris clair, de ces yeux dont le regard
dit : « Je veux ! » ou : « Il faut ! » ou bien : « Je ne
pardonne jamais ! »

« Si, nerveux comme je vous connais, vous, G...,
lâches et légers comme vous êtes, vous deux K...
et J..., vous aviez été accouplés à une certaine
femme de ma connaissance, ou vous vous seriez
enfuis, ou vous seriez morts. Moi, j'ai survécu,

comme vous voyez. Figurez-vous une personne incapable de commettre une erreur de sentiment ou de calcul ; figurez-vous une sérénité désolante de caractère ; un dévouement sans comédie et sans emphase ; une douceur sans faiblesse ; une énergie sans violence. L'histoire de mon amour ressemble à un interminable voyage sur une surface pure et polie, comme un miroir, vertigineusement monotone, qui aurait réfléchi tous mes sentiments et mes gestes avec l'exactitude ironique de ma propre conscience, de sorte que je ne pouvais pas me permettre un geste ou un sentiment déraisonnable sans apercevoir immédiatement le reproche muet de mon inséparable spectre. L'amour m'apparaissait comme une tutelle. Que de sottises elle m'a empêché de faire, que je regrette de n'avoir pas commises ! Que de dettes payées malgré moi ! Elle me privait de tous les bénéfices que j'aurais pu tirer de ma folie personnelle. Avec une froide et infranchissable règle, elle barrait tous mes caprices. Pour comble d'horreur, elle n'exigeait pas de reconnaissance, le danger passé. Combien de fois ne me suis-je pas retenu de lui sauter à la gorge, en lui criant : « Sois donc imparfaite, misérable ! afin que je puisse t'aimer sans malaise et "sans colère." Pendant plusieurs années, je l'ai admirée, le cœur plein de haine. Enfin, ce n'est pas moi qui en suis mort !

— Ah ! firent les autres, elle est donc morte ?

— Oui ! cela ne pouvait continuer ainsi. L'amour était devenu pour moi un cauchemar accablant. Vaincre ou mourir, comme dit la Politique, telle était l'alternative que m'imposait la destinée ! Un soir, dans un bois... au bord d'une mare... après une mélancolique promenade où ses yeux, à elle, réfléchissaient la douceur du ciel, et où mon cœur, à moi, était crispé comme l'enfer...

— Quoi !

— Comment !

— Que voulez-vous dire ?

— C'était inévitable. J'ai trop le sentiment de l'équité pour battre, outrager ou congédier un serviteur irréprochable. Mais il fallait accorder ce sentiment avec l'horreur que cet être m'inspirait ; me débarrasser de cet être sans lui manquer de respect. Que vouliez-vous que je fisse d'elle, *puisqu'elle était parfaite ?* »

Les trois autres compagnons regardèrent celui-ci avec un regard vague et légèrement hébété, comme feignant de ne pas comprendre et comme avouant implicitement qu'ils ne se sentaient pas, quant à eux, capables d'une action aussi rigoureuse, quoique suffisamment expliquée d'ailleurs.

Ensuite on fit apporter de nouvelles bouteilles, pour tuer le Temps qui a la vie si dure, et accélérer la Vie qui coule si lentement.

LE GALANT TIREUR

Comme la voiture traversait le bois, il la fit arrêter dans le voisinage d'un tir, disant qu'il lui serait agréable de tirer quelques balles pour *tuer* le Temps. Tuer ce monstre-là, n'est-ce pas l'occupation la plus ordinaire et la plus légitime de chacun ? — Et il offrit galamment la main à sa chère, délicieuse et exécrable femme, à cette mystérieuse femme à laquelle il doit tant de plaisirs, tant de douleurs, et peut-être aussi une grande partie de son génie.

Plusieurs balles frappèrent loin du but proposé ; l'une d'elles s'enfonça même dans le plafond ; et comme la charmante créature riait follement, se moquant de la maladresse de son époux, celui-ci se tourna brusquement vers elle, et lui dit : « Observez cette poupée, là-bas, à droite, qui porte le nez en l'air et qui a la mine si hautaine. Eh bien ! cher ange, *je me figure que c'est vous.* » Et il ferma les yeux et il lâcha la détente. La poupée fut nettement décapitée.

Alors s'inclinant vers sa chère, sa délicieuse, son exécrable femme, son inévitable et impitoyable Muse, et lui baisant respectueusement la main, il ajouta : « Ah ! mon cher ange, combien je vous remercie de mon adresse ! »

LA SOUPE ET LES NUAGES

Ma petite folle bien-aimée me donnait à dîner, et par la fenêtre ouverte de la salle à manger je contemplais les mouvantes architectures que Dieu fait avec les vapeurs, les merveilleuses constructions de l'impalpable. Et je me disais, à travers ma contemplation : « — Toutes ces fantasmagories sont presque aussi belles que vastes les yeux de ma belle bien-aimée, la petite folle monstrueuse aux yeux verts. »

Et tout à coup je reçus un violent coup de poing dans le dos, et j'entendis une voix rauque et charmante, une voix hystérique et comme enrouée par l'eau-de-vie, la voix de ma chère petite bien-aimée, qui disait : « — Allez-vous bientôt manger votre soupe, sacré bougre de marchand de nuages ? »

LE TIR ET LE CIMETIÈRE

À la vue du cimetière, Estaminet. — « Singulière enseigne, — se dit notre promeneur, — mais bien faite pour donner soif ! À coup sûr, le maître de ce cabaret sait apprécier Horace et les poëtes élèves d'Épicure. Peut-être même connaît-il le raffinement profond des anciens Égyptiens, pour qui il n'y avait pas de bon festin sans squelette, ou sans un emblème quelconque de la brièveté de la vie. »

Et il entra, but un verre de bière en face des tombes, et fuma lentement un cigare. Puis, la fantaisie le prit de descendre dans ce cimetière, dont l'herbe était si haute et si invitante, et où régnait un si riche soleil.

En effet, la lumière et la chaleur y faisaient rage, et l'on eût dit que le soleil ivre se vautrait tout de son long sur un tapis de fleurs magnifiques engraissées par la destruction. Un immense bruissement de vie remplissait l'air, — la vie des infiniment petits, — coupé à intervalles réguliers par la crépitation des coups de feu d'un tir voisin, qui éclataient comme l'explosion des bouchons de champagne dans le bourdonnement d'une symphonie en sourdine.

Alors, sous le soleil qui lui chauffait le cerveau et dans l'atmosphère des ardents parfums de la

Mort, il entendit une voix chuchoter sous la tombe où il s'était assis. Et cette voix disait : « Maudites soient vos cibles et vos carabines, turbulents vivants, qui vous souciez si peu des défunts et de leur divin repos ! Maudites soient vos ambitions, maudits soient vos calculs, mortels impatients, qui venez étudier l'art de tuer auprès du sanctuaire de la Mort ! Si vous saviez comme le prix est facile à gagner, comme le but est facile à toucher, et combien tout est néant, excepté la Mort, vous ne vous fatigueriez pas tant, laborieux vivants, et vous troubleriez moins souvent le sommeil de ceux qui depuis longtemps ont mis dans le But, dans le seul vrai but de la détestable vie ! »

XLVI

PERTE D'AURÉOLE

« Eh ! quoi ! vous ici, mon cher ? Vous, dans un mauvais lieu ! vous, le buveur de quintessences ! vous, le mangeur d'ambroisie ! En vérité, il y a là de quoi me surprendre.

— Mon cher, vous connaissez ma terreur des chevaux et des voitures. Tout à l'heure, comme je traversais le boulevard, en grande hâte, et que je sautillais dans la boue, à travers ce chaos mouvant où la mort arrive au galop de tous les côtés à la fois, mon auréole, dans un mouvement brusque, a glissé de ma tête dans la fange du macadam. Je n'ai pas eu le courage de ramasser. J'ai jugé moins désagréable de perdre mes insignes que de me faire rompre les os. Et puis, me suis-je dit, à quelque chose malheur est bon. Je puis maintenant me promener incognito, faire des actions basses, et me livrer à la crapule, comme les simples mortels. Et me voici, tout semblable à vous, comme vous voyez !

— Vous devriez au moins faire afficher cette auréole, ou la faire réclamer par le commissaire.

— Ma foi ! non. Je me trouve bien ici. Vous seul, vous m'avez reconnu. D'ailleurs la dignité m'ennuie. Ensuite je pense avec joie que quelque mauvais poëte la ramassera et s'en coiffera impudemment. Faire un heureux, quelle jouissance! et surtout un heureux qui me fera rire! Pensez à X, ou à Z! Hein! comme ce sera drôle! ».

MADEMOISELLE BISTOURI

Comme j'arrivais à l'extrémité du faubourg, sous les éclairs du gaz, je sentis un bras qui se coulait doucement sous le mien, et j'entendis une voix qui me disait à l'oreille : « Vous êtes médecin, monsieur ? »

Je regardai ; c'était une grande fille, robuste, aux yeux très-ouverts, légèrement fardée, les cheveux flottant au vent avec les brides de son bonnet.

« — Non ; je ne suis pas médecin. Laissez-moi passer. — Oh ! si ! vous êtes médecin. Je le vois bien. Venez chez moi. Vous serez bien content de moi, allez ! — Sans doute, j'irai vous voir, mais plus tard, *après le médecin*, que diable !... — Ah ! ah ! — fit-elle, toujours suspendue à mon bras, et en éclatant de rire, — vous êtes un médecin farceur, j'en ai connu plusieurs dans ce genre-là. Venez. »

J'aime passionnément le mystère, parce que j'ai toujours l'espoir de le débrouiller. Je me laissai donc entraîner par cette compagne, ou plutôt par cette énigme inespérée.

J'omets la description du taudis ; on peut la trouver dans plusieurs vieux poëtes français bien connus. Seulement, détail non aperçu par

Régnier, deux ou trois portraits de docteurs célèbres étaient suspendus aux murs.

Comme je fus dorloté! Grand feu, vin chaud, cigares; et en m'offrant ces bonnes choses et en allumant elle-même un cigare, la bouffonne créature me disait : « Faites comme chez vous, mon ami, mettez-vous à l'aise. Ça vous rappellera l'hôpital et le bon temps de la jeunesse. — Ah çà! où donc avez-vous gagné ces cheveux blancs? Vous n'étiez pas ainsi, il n'y a pas encore bien longtemps, quand vous étiez interne de L... Je me souviens que c'était vous qui l'assistiez dans les opérations graves. En voilà un homme qui aime couper, tailler et rogner! C'était vous qui lui tendiez les instruments, les fils et les éponges. — Et comme, l'opération faite, il disait fièrement, en regardant sa montre : « Cinq minutes, messieurs! » — Oh! moi, je vais partout. Je connais bien ces Messieurs. »

Quelques instants plus tard, me tutoyant, elle reprenait son antienne, et me disait : « Tu es médecin, n'est-ce pas, mon chat? »

Cet inintelligible refrain me fit sauter sur mes jambes. « Non! criai-je furieux.

— Chirurgien, alors?

— Non! non! à moins que ce ne soit pour te couper la tête! Sacré saint ciboire de sainte maquerelle!

— Attends, reprit-elle, tu vas voir. »

Et elle tira d'une armoire une liasse de papiers, qui n'était autre chose que la collection des portraits des médecins illustres de ce temps, lithographiés par Maurin, qu'on a pu voir étalée pendant plusieurs années sur le quai Voltaire.

« Tiens! le reconnais-tu celui-ci?

— Oui! c'est X. Le nom est au bas d'ailleurs; mais je le connais personnellement.

— Je savais bien! Tiens! voilà Z., celui qui disait à son cours, en parlant de X. : « Ce monstre qui porte sur son visage la noirceur de son âme! » Tout cela, parce que l'autre n'était pas de son avis dans la même affaire! Comme on riait de ça à l'École, dans le temps! Tu t'en souviens? — Tiens, voilà K., celui qui dénonçait au gouvernement les insurgés qu'il soignait à son hôpital. C'était le temps des émeutes. Comment est-ce possible qu'un si bel homme ait si peu de cœur? — Voici maintenant W., un fameux médecin anglais; je l'ai attrapé à son voyage à Paris. Il a l'air d'une demoiselle, n'est-ce pas? »

Et comme je touchais à un paquet ficelé, posé aussi sur le guéridon : « Attends un peu, — dit-elle; ça, c'est les internes, et ce paquet-ci, c'est les externes. »

Et elle déploya en éventail une masse d'images photographiques, représentant des physionomies beaucoup plus jeunes.

« Quand nous nous reverrons, tu me donneras ton portrait, n'est-ce pas, chéri?

— Mais, lui dis-je, suivant à mon tour, moi aussi, mon idée fixe, — pourquoi me crois-tu médecin?

— C'est que tu es si gentil et si bon pour les femmes!

— Singulière logique! me dis-je à moi-même.

— Oh! je ne m'y trompe guère; j'en ai connu un bon nombre. J'aime tant ces messieurs, que, bien que je ne sois pas malade, je vais quelquefois les voir, rien que pour les voir. Il y en a qui me disent froidement : « Vous n'êtes pas malade du tout! » Mais il y en a d'autres qui me comprennent, parce que je leur fais des mines.

— Et quand ils ne te comprennent pas...?

— Dame! comme je les ai dérangés *inutile-*

ment, je laisse dix francs sur la cheminée. — C'est si bon et si doux, ces hommes-là ! — J'ai découvert à la Pitié un petit interne, qui est joli comme un ange, et qui est poli ! et qui travaille, le pauvre garçon ! Ses camarades m'ont dit qu'il n'avait pas le sou, parce que ses parents sont des pauvres qui ne peuvent rien lui envoyer. Cela m'a donné confiance. Après tout, je suis assez belle femme, quoique pas trop jeune. Je lui ai dit : « Viens me voir, viens me voir souvent. Et avec moi, ne te gêne pas ; je n'ai pas besoin d'argent. » Mais tu comprends que je lui ai fait entendre ça par une foule de façons ; je ne lui ai pas dit tout crûment ; j'avais si peur de l'humilier, ce cher enfant ! — Eh bien ! croirais-tu que j'ai une drôle d'envie que je n'ose pas lui dire ? — Je voudrais qu'il vînt me voir avec sa trousse et son tablier, même avec un peu de sang dessus ! »

Elle dit cela d'un air fort candide, comme un homme sensible dirait à une comédienne qu'il aimerait : « Je veux vous voir vêtue du costume que vous portiez dans ce fameux rôle que vous avez créé. »

Moi, m'obstinant, je repris : « Peux-tu te souvenir de l'époque et de l'occasion où est née en toi cette passion si particulière ? »

Difficilement je me fis comprendre ; enfin j'y parvins. Mais alors elle me répondit d'un air très-triste, et même, autant que je peux me souvenir, en détournant les yeux : « Je ne sais pas... je ne me souviens pas. »

Quelles bizarreries ne trouve-t-on pas dans une grande ville, quand on sait se promener et regarder ? La vie fourmille de monstres innocents. — Seigneur, mon Dieu ! vous, le Créateur, vous, le Maître ; vous qui avez fait la Loi et la Liberté ; vous, le souverain qui laissez faire, vous, le juge qui pardonnez ; vous qui êtes plein de motifs et de causes, et qui avez peut-être mis dans mon esprit le goût de l'horreur pour convertir mon cœur, comme la guérison au bout d'une lame ; Seigneur, ayez pitié, ayez pitié des fous et des folles ! O créateur ! peut-il exister des monstres aux yeux de Celui-là seul qui sait pourquoi ils existent, comment ils *se sont faits* et comment ils auraient pu *ne pas se faire* ?

XLVIII

ANY WHERE OUT OF THE WORLD
N'IMPORTE OÙ HORS DU MONDE

Cette vie est un hôpital où chaque malade est possédé du désir de changer de lit. Celui-ci voudrait souffrir en face du poêle, et celui-là croit qu'il guérirait à côté de la fenêtre.

Il me semble que je serais toujours bien là où je ne suis pas, et cette question de déménagement en est une que je discute sans cesse avec mon âme.

« Dis-moi, mon âme, pauvre âme refroidie, que penserais-tu d'habiter Lisbonne ? Il doit y faire chaud, et tu t'y ragaillardirais comme un lézard. Cette ville est au bord de l'eau ; on dit qu'elle est bâtie en marbre, et que le peuple y a une telle haine du végétal, qu'il arrache tous les arbres. Voilà un paysage selon ton goût ; un paysage fait avec la lumière et le minéral, et le liquide pour les réfléchir ! »

Mon âme ne répond pas.

« Puisque tu aimes tant le repos, avec le spectacle du mouvement, veux-tu venir habiter la Hollande, cette terre béatifiante ? Peut-être te divertiras-tu dans cette contrée dont tu as souvent admiré l'image dans les musées. Que penserais-tu de Rotterdam, toi qui aimes les forêts de mâts, et les navires amarrés au pied des maisons ? »

Mon âme reste muette.

« Batavia te sourirait peut-être davantage ? Nous y trouverions d'ailleurs l'esprit de l'Europe marié à la beauté tropicale. »

Pas un mot. — Mon âme serait-elle morte ?

« En es-tu donc venue à ce point d'engourdissement que tu ne te plaises que dans ton mal ? S'il en est ainsi, fuyons vers les pays qui sont les analogies de la Mort. — Je tiens notre affaire, pauvre âme ! Nous ferons nos malles pour Tornéa. Allons plus loin encore, à l'extrême bout de la Baltique ; encore plus loin de la vie, si c'est possible ; installons-nous au pôle. Là le soleil ne frise qu'obliquement la terre, et les lentes alternatives de la lumière et de la nuit suppriment la variété et augmentent la monotonie, cette moitié du néant. Là, nous pourrons prendre de longs bains de ténèbres, cependant que, pour nous divertir, les aurores boréales nous enverront de temps en temps leurs gerbes roses, comme des reflets d'un feu d'artifice de l'Enfer ! »

Enfin, mon âme fait explosion, et sagement elle me crie : « N'importe où ! n'importe où ! pourvu que ce soit hors de ce monde ! »

ASSOMMONS LES PAUVRES !

Pendant quinze jours je m'étais confiné dans ma chambre, et je m'étais entouré des livres à la mode dans ce temps-là (il y a seize ou dix-sept ans) ; je veux parler des livres où il est traité de l'art de rendre les peuples heureux, sages et riches,. en vingt-quatre heures. J'avais donc digéré, — avalé, veux-je dire, — toutes les élucubrations de tous ces entrepreneurs de bonheur public, — de ceux qui conseillent à tous les pauvres de se faire esclaves, et de ceux qui leur persuadent qu'ils sont tous des rois détrônés. — On ne trouvera pas surprenant que je fusse alors dans un. état d'esprit avoisinant le vertige ou la stupidité.

Il m'avait semblé seulement que je sentais, confiné au fond de mon intellect, le germe obscur d'une idée supérieure à toutes les formules de bonne femme dont j'avais récemment parcouru le dictionnaire. Mais ce n'était que l'idée d'une idée, quelque chose d'infiniment vague.

Et je sortis avec une grande soif. Car le goût passionné des mauvaises lectures engendre un besoin proportionnel du grand air et des rafraîchissants.

Comme j'allais entrer dans un cabaret, un mendiant me tendit son chapeau, avec un de ces regards inoubliables qui culbuteraient les trônes, si l'esprit remuait la matière, et si l'œil d'un magnétiseur faisait mûrir les raisins.

En même temps, j'entendis une voix qui chuchotait à mon oreille, une voix que je reconnus bien ; c'était celle d'un bon Ange, ou d'un bon Démon, qui m'accompagne partout. Puisque Socrate avait son bon Démon, pourquoi n'aurais-je pas mon bon Ange, et pourquoi n'aurais-je pas l'honneur, comme Socrate, d'obtenir mon brevet de folie, signé du subtil Lélut et du bien-avisé Baillarger ?

Il existe cette différence entre le Démon de Socrate et le mien, que celui de Socrate ne se manifestait à lui que pour défendre, avertir, empêcher, et que le mien daigne conseiller, suggérer, persuader. Ce pauvre Socrate n'avait qu'un Démon prohibiteur ; le mien est un grand affirmateur, le mien est un Démon d'action, ou Démon de combat.

Or, sa voix me chuchotait ceci : « Celui-là seul est l'égal d'un autre, qui le prouve, et celui-là seul est digne de la liberté, qui sait la conquérir. »

Immédiatement, je sautai sur mon mendiant. D'un seul coup de poing, je lui bouchai un œil, qui devint, en une seconde, gros comme une balle. Je cassai un de mes ongles à lui briser deux dents, et comme je ne me sentais pas assez fort, étant né délicat et m'étant peu exercé à la boxe, pour assommer rapidement ce vieillard, je le saisis d'une main par le collet de son habit, de l'autre, je l'empoignai à la gorge, et je me mis à lui secouer vigoureusement la tête contre un mur. Je dois avouer que j'avais préalablement inspecté les environs d'un coup d'œil, et que j'avais vérifié que dans cette banlieue déserte, je me trouvais, pour un assez long temps, hors de la portée de tout agent de police.

Ayant ensuite, par un coup de pied lancé dans le dos, assez énergique pour briser les omoplates, terrassé ce sexagénaire affaibli, je me saisis d'une grosse branche d'arbre qui traînait à terre, et je le battis avec l'énergie obstinée des cuisiniers qui veulent attendrir un beefsteak.

Tout à coup, — ô miracle! ô jouissance du philosophe qui vérifie l'excellence de sa théorie! — je vis cette antique carcasse se retourner, se redresser avec une énergie que je n'aurais jamais soupçonnée dans une machine si singulièrement détraquée, et, avec un regard de haine qui me parut de *bon augure*, le malandrin décrépit se jeta sur moi, me pocha les deux yeux, me cassa quatre dents, et, avec la même branche d'arbre, me battit dru comme plâtre. — Par mon énergique médication, je lui avais donc rendu l'orgueil et la vie.

Alors, je lui fis force signes pour lui faire comprendre que je considérais la discussion comme finie, et me relevant avec la satisfaction d'un sophiste du Portique, je lui dis : « Monsieur, *vous êtes mon égal!* veuillez me faire l'honneur de partager avec moi ma bourse; et souvenez-vous, si vous êtes réellement philanthrope, qu'il faut appliquer à tous vos confrères, quand ils vous demanderont l'aumône, la théorie que j'ai eu la *douleur* d'essayer sur votre dos. »

Il m'a bien juré qu'il avait compris ma théorie, et qu'il obéirait à mes conseils.

LES BONS CHIENS

À M. Joseph Stevens.

Je n'ai jamais rougi, même devant les jeunes écrivains de mon siècle, de mon admiration pour Buffon; mais aujourd'hui ce n'est pas l'âme de ce peintre de la nature pompeuse que j'appellerai à mon aide. Non.

Bien plus volontiers je m'adresserais à Sterne, et je lui dirais : « Descends du ciel, ou monte vers moi les champs Élyséens, pour m'inspirer en faveur des bons chiens, des pauvres chiens, un chant digne de toi, sentimental farceur, farceur incomparable! Reviens à califourchon sur ce fameux âne qui t'accompagne toujours dans la mémoire de la postérité; et surtout que cet âne n'oublie pas de porter, délicatement suspendu entre ses lèvres, son immortel macaron! »

Arrière la muse académique! Je n'ai que faire de cette vieille bégueule. J'invoque la muse familière, la citadine, la vivante, pour qu'elle m'aide à chanter les bons chiens, les pauvres chiens, les chiens crottés, ceux-là que chacun écarte, comme pestiférés et pouilleux, excepté le pauvre dont ils sont les associés, et le poëte qui les regarde d'un œil fraternel.

Fi du chien bellâtre, de ce fat quadrupède, danois, king-charles, carlin ou gredin, si enchanté de lui-même qu'il s'élance indiscrètement dans les jambes ou sur les genoux du visiteur, comme s'il était sûr de plaire, turbulent comme un enfant, sot comme une lorette, quelquefois hargneux et insolent comme un domestique! Fi surtout de ces serpents à quatre pattes, frissonnants et désœuvrés, qu'on nomme levrettes, et qui ne logent même pas dans leur museau pointu assez de flair pour suivre la piste d'un ami, ni dans leur tête aplatie assez d'intelligence pour jouer au domino!

À la niche, tous ces fatigants parasites!

Qu'ils retournent à leur niche soyeuse et capitonnée! Je chante le chien crotté, le chien pauvre, le chien sans domicile, le chien flâneur, le chien saltimbanque, le chien dont l'instinct, comme celui du pauvre, du bohémien et de l'histrion, est merveilleusement aiguillonné par la nécessité, cette si bonne mère, cette vraie patronne des intelligences!

Je chante les chiens calamiteux, soit ceux qui errent, solitaires, dans les ravines sinueuses des immenses villes, soit ceux qui ont dit à l'homme abandonné, avec des yeux clignotants et spirituels : « Prends-moi avec toi, et de nos deux misères nous ferons peut-être une espèce de bonheur! »

« *Où vont les chiens?* » disait autrefois Nestor Roqueplan dans un immortel feuilleton qu'il a sans doute oublié, et dont moi seul, et Sainte-Beuve peut-être, nous nous souvenons encore aujourd'hui.

Où vont les chiens, dites-vous, hommes peu attentifs? Ils vont à leurs affaires.

Rendez-vous d'affaires, rendez-vous d'amour. À travers la brume, à travers la neige, à travers la crotte, sous la canicule mordante, sous la pluie ruisselante, ils vont, ils viennent, ils trottent, ils passent sous les voitures, excités par les puces, la passion, le besoin ou le devoir. Comme nous, ils se sont levés de bon matin, et ils cherchent leur vie ou courent à leurs plaisirs.

Il y en a qui couchent dans une ruine de la banlieue et qui viennent, chaque jour, à heure fixe, réclamer la sportule à la porte d'une cuisine du Palais-Royal ; d'autres qui accourent, par troupes, de plus de cinq lieues, pour partager le repas que leur a préparé la charité de certaines pucelles sexagénaires, dont le cœur inoccupé s'est donné aux bêtes, parce que les hommes imbéciles n'en veulent plus.

D'autres qui, comme des nègres marrons, affolés d'amour, quittent, à de certains jours, leur département pour venir à la ville, gambader pendant une heure, autour d'une belle chienne, un peu négligée dans sa toilette, mais fière et reconnaissante.

Et ils sont tous très-exacts, sans carnets, sans notes et sans portefeuilles.

Connaissez-vous la paresseuse Belgique, et avez-vous admiré comme moi tous ces chiens vigoureux attelés à la charrette du boucher, de la laitière ou du boulanger, et qui témoignent, par leurs aboiements triomphants, du plaisir orgueilleux qu'ils éprouvent à rivaliser avec les chevaux ?

En voici deux qui appartiennent à un ordre encore plus civilisé ! Permettez-moi de vous introduire dans la chambre du saltimbanque absent. Un lit, en bois peint, sans rideaux, des couvertures traînantes et souillées de punaises, deux chaises de paille, un poêle de fonte, un ou deux instruments de musique détraqués. Oh ! le triste mobilier ! Mais regardez, je vous prie, ces deux personnages intelligents, habillés de vêtements à la fois éraillés et somptueux, coiffés comme des troubadours ou des militaires, qui surveillent, avec une attention de sorciers, *l'œuvre sans nom* qui mitonne sur le poêle allumé, et au centre de laquelle une longue cuiller se dresse, plantée comme un de ces mâts aériens qui annoncent que la maçonnerie est achevée.

N'est-il pas juste que de si zélés comédiens ne se mettent pas en route sans avoir lesté leur estomac d'une soupe puissante et solide? Et ne pardonnerez-vous pas un peu de sensualité à ces pauvres diables qui ont à affronter tout le jour l'indifférence du public et les injustices d'un directeur qui se fait la grosse part et mange à lui seul plus de soupe que quatre comédiens?

Que de fois j'ai contemplé, souriant et attendri, tous ces philosophes à quatre pattes, esclaves complaisants, soumis ou dévoués, que le dictionnaire républicain pourrait aussi bien qualifier d'*officieux*, si la république, trop occupée du *bonheur* des hommes, avait le temps de ménager l'*honneur* des chiens!

Et que de fois j'ai pensé qu'il y avait peut-être quelque part (qui sait, après tout?), pour récompenser tant de courage, tant de patience et de labeur, un paradis spécial pour les bons chiens, les pauvres chiens, les chiens crottés et désolés. Swedenborg affirme bien qu'il y en a un pour les Turcs et un pour les Hollandais!

Les bergers de Virgile et de Théocrite attendaient, pour prix de leurs chants alternés, un bon fromage, une flûte du meilleur faiseur, ou une chèvre aux mamelles gonflées. Le poëte qui a chanté les pauvres chiens a reçu pour récompense un beau gilet, d'une couleur, à la fois riche et fanée, qui fait penser aux soleils d'automne, à la beauté des femmes mûres et aux étés de la Saint-Martin.

Aucun de ceux qui étaient présents dans la taverne de la rue Villa-Hermosa n'oubliera avec quelle pétulance le peintre s'est dépouillé de son gilet en faveur du poëte, tant il a bien compris qu'il était bon et honnête de chanter les pauvres chiens.

Tel un magnifique tyran italien, du bon temps, offrait au divin Arétin soit une dague enrichie de pierreries, soit un manteau de cour, en échange d'un précieux sonnet ou d'un curieux poëme satirique.

Et toutes les fois que le poëte endosse le gilet du peintre, il est contraint de penser aux bons chiens, aux chiens philosophes, aux étés de la Saint-Martin et à la beauté des femmes très-mûres.

ÉPILOGUE

Le cœur content, je suis monté sur la montagne
D'où l'on peut contempler la ville en son ampleur,
Hôpital, lupanar, purgatoire, enfer, bagne,

Où toute énormité fleurit comme une fleur.
Tu sais bien, ô Satan, patron de ma détresse,
Que je n'allais pas là pour répandre un vain pleur ;

Mais comme un vieux paillard d'une vieille
                              [maîtresse,
Je voulais m'enivrer de l'énorme catin
Dont le charme infernal me rajeunit sans cesse.

Que tu dormes encor dans les draps du matin,
Lourde, obscure, enrhumée, ou que tu te pavanes
Dans les voiles du soir passementés d'or fin,

Je t'aime, ô capitale infâme ! Courtisanes
Et bandits, tels souvent vous offrez des plaisirs
Que ne comprennent pas les vulgaires profanes.

LES PARADIS ARTIFICIELS

Opium et Haschisch

A
J. G. F.

MA CHÈRE AMIE,

Le bon sens nous dit que les choses de la terre n'existent que bien peu, et que la vraie réalité n'est que dans les rêves. Pour digérer le bonheur naturel, comme l'artificiel, il faut d'abord avoir le courage de l'avaler; et ceux qui mériteraient peut-être le bonheur sont justement ceux-là à qui la félicité, telle que la conçoivent les mortels, a toujours fait l'effet d'un vomitif.

À des esprits niais il paraîtra singulier, et même impertinent, qu'un tableau de voluptés artificielles soit dédié à une femme, source la plus ordinaire des voluptés les plus naturelles. Toutefois il est évident que, comme le monde naturel pénètre dans le spirituel, lui sert de pâture, et concourt ainsi à opérer cet amalgame indéfinissable que nous nommons notre individualité, la femme est l'être qui projette la plus grande ombre ou la plus grande lumière dans nos rêves. La femme est fatalement suggestive; elle vit d'une autre vie que la sienne propre; elle vit spirituellement dans les imaginations qu'elle hante et qu'elle féconde.

Il importe d'ailleurs fort peu que la raison de cette dédicace soit comprise. Est-il même bien nécessaire, pour le contentement de l'auteur, qu'un livre quelconque soit compris, excepté de celui ou de celle pour qui il a été composé? Pour tout dire enfin, indispensable qu'il ait été écrit pour quelqu'un? *J'ai, quant à moi, si peu de goût pour le monde vivant, que, pareil à ces femmes sensibles et désœuvrées qui envoient, dit-on, par la poste leurs confidences à des amis imaginaires, volontiers je n'écrirais que pour les morts.*

Mais ce n'est pas à une morte que je dédie ce petit livre; c'est à une qui, quoique malade, est toujours active et vivante en moi, et qui tourne maintenant tous ses regards vers le Ciel, ce lieu de toutes les transfigurations. Car, tout aussi bien que d'une drogue redoutable, l'être humain jouit de ce privilège de pouvoir tirer des jouissances nouvelles et subtiles même de la douleur, de la catastrophe et de la fatalité.

Tu verras dans ce tableau un promeneur sombre et solitaire, plongé dans le flot mouvant des multitudes, et envoyant son cœur et sa pensée à une Électre lointaine qui essuyait naguère son front baigné de sueur et rafraîchissait ses lèvres parcheminées par la fièvre; *et tu devineras la gratitude d'un autre Oreste dont tu as souvent surveillé les cauchemars, et de qui tu dissipais, d'une main légère et maternelle, le sommeil épouvantable.*

C. B.

LE POËME DU HASCHISCH

I

LE GOÛT DE L'INFINI

Ceux qui savent s'observer eux-mêmes et qui gardent la mémoire de leurs impressions, ceux-là qui ont su, comme Hoffmann, construire leur baromètre spirituel, ont eu parfois à noter, dans l'observatoire de leur pensée, de belles saisons, d'heureuses journées, de délicieuses minutes. Il est des jours où l'homme s'éveille avec un génie jeune et vigoureux. Ses paupières à peine déchargées du sommeil qui les scellait, le monde extérieur s'offre à lui avec un relief puissant, une netteté de contours, une richesse de couleurs admirables. Le monde moral ouvre ses vastes perspectives, pleines de clartés nouvelles. L'homme gratifié de cette béatitude, malheureusement rare et passagère, se sent à la fois plus artiste et plus juste, plus noble, pour tout dire en un mot. Mais ce qu'il y a de plus singulier dans cet état exceptionnel de l'esprit et des sens, que je puis sans exagération appeler paradisiaque, si je le compare aux lourdes ténèbres de l'existence commune et journalière, c'est qu'il n'a été créé par aucune cause bien visible et facile à définir. Est-il le résultat d'une bonne hygiène et d'un régime de sage ? Telle est la première explication qui s'offre à l'esprit ; mais nous sommes obligés

de reconnaître que souvent cette merveille, cette
espèce de prodige, se produit comme si elle était
l'effet d'une puissance supérieure et invisible,
extérieure à l'homme, après une période où
celui-ci a fait abus de ses facultés physiques.
Dirons-nous qu'elle est la récompense de la prière
assidue et des ardeurs spirituelles? Il est certain
qu'une élévation constante du désir, une tension
des forces spirituelles vers le ciel, serait le régime
le plus propre à créer cette santé morale, si éclatante et si glorieuse; mais en vertu de quelle loi
absurde se manifeste-t-elle parfois après de coupables orgies de l'imagination, après un abus
sophistique de la raison, qui est à son usage honnête et raisonnable ce que les tours de dislocation
sont à la saine gymnastique? C'est pourquoi je
préfère considérer cette condition anormale de
l'esprit comme une véritable *grâce*, comme un
miroir magique où l'homme est invité à se voir en
beau, c'est-à-dire tel qu'il devrait et pourrait être;
une espèce d'excitation angélique, un rappel à
l'ordre sous une forme complimenteuse. De
même une certaine école spiritualiste, qui a ses
représentants en Angleterre et en Amérique,
considère les phénomènes surnaturels, tels que
les apparitions de fantômes, les revenants, etc.,
comme des manifestations de la volonté divine,
attentive à réveiller dans l'esprit de l'homme le
souvenir des réalités invisibles.

D'ailleurs, cet état charmant et singulier où
toutes les forces s'équilibrent, où l'imagination,
quoique merveilleusement puissante, n'entraîne
pas à sa suite le sens moral dans de périlleuses
aventures, où une sensibilité exquise n'est plus
torturée par des nerfs malades, ces conseillers
ordinaires du crime ou du désespoir, cet état merveilleux, dis-je, n'a pas de symptômes avant-cou-

reurs. Il est aussi imprévu que le fantôme. C'est une espèce de hantise, mais de hantise intermittente, dont nous devrions tirer, si nous étions sages, la certitude d'une existence meilleure et l'espérance d'y atteindre par l'exercice journalier de notre volonté. Cette acuité de la pensée, cet enthousiasme des sens et de l'esprit, ont dû, en tout temps, apparaître à l'homme comme le premier des biens; c'est pourquoi, ne considérant que la volupté immédiate, il a, sans s'inquiéter de violer les lois de sa constitution, cherché dans la science physique, dans la pharmaceutique, dans les plus grossières liqueurs, dans les parfums les plus subtils, sous tous les climats et dans tous les temps, les moyens de fuir, ne fût-ce que pour quelques heures, son habitacle de fange, et, comme dit l'auteur de *Lazare* : « d'emporter le Paradis d'un seul coup. » Hélas! les vices de l'homme, si pleins d'horreur qu'on les suppose, contiennent la preuve (quand ce ne serait que leur infinie expansion!) de son goût de l'infini; seulement, c'est un goût qui se trompe souvent de route. On pourrait prendre dans un sens métaphorique le vulgaire proverbe, *Tout chemin mène à Rome*, et l'appliquer au monde moral; tout mène à la récompense ou au châtiment, deux formes de l'éternité. L'esprit humain regorge de passions; il en a *à revendre*, pour me servir d'une autre locution triviale; mais ce malheureux esprit, dont la dépravation naturelle est aussi grande que son aptitude soudaine, quasi paradoxale, à la charité et aux vertus les plus ardues, est fécond en paradoxes qui lui permettent d'employer pour le trop-plein de cette passion débordante. Il ne croit jamais se vendre en bloc. Il oublie, dans son infatuation, qu'il se joue à un plus fin et plus fort que lui, et que l'Esprit du Mal, même quand on ne lui livre qu'un cheveu, ne tarde pas à emporter la tête. Ce seigneur visible de la nature visible (je parle de l'homme) a donc voulu créer le Paradis par la pharmacie, par les boissons fermentées, semblable à un maniaque qui remplacerait des meubles solides et des jardins véritables par des décors peints sur toile et montés sur châssis. C'est dans cette dépravation du sens de l'infini que gît, selon moi, la raison de tous les excès coupables, depuis l'ivresse solitaire et concentrée du littérateur, qui, obligé de chercher dans l'opium un soulagement à une douleur physique, et ayant ainsi découvert une source de jouissances morbides, en a fait peu à peu son unique hygiène et comme le soleil de sa vie spirituelle, jusqu'à l'ivrognerie la plus répugnante des faubourgs, qui, le cerveau plein de flamme et de gloire, se roule ridiculement dans les ordures de la route.

Parmi les drogues les plus propres à créer ce que je nomme l'*Idéal artificiel*, laissant de côté les liqueurs, qui poussent vite à la fureur matérielle et terrassent la force spirituelle, et les parfums dont l'usage excessif, tout en rendant l'imagination de l'homme plus subtile, épuise graduellement ses forces physiques, les deux plus énergiques substances, celles dont l'emploi est le plus commode et le plus sous la main, sont le haschisch et l'opium. L'analyse des effets mystérieux et des jouissances morbides que peuvent engendrer ces drogues, des châtiments inévitables qui résultent de leur usage prolongé, et enfin de l'immoralité même impliquée dans cette poursuite d'un faux idéal, constitue le sujet de cette étude.

Le travail sur l'opium a été fait, et d'une manière si éclatante, médicale et poétique à la fois, que je n'oserais rien y ajouter. Je me contenterai donc, dans une autre étude, de donner l'analyse de ce livre incomparable, qui n'a jamais été traduit en France dans sa totalité. L'auteur, homme illustre, d'une imagination puissante et exquise, aujourd'hui retiré et silencieux, a osé, avec une candeur tragique, faire le récit des jouissances et des tortures qu'il a trouvées jadis dans l'opium, et la partie la plus dramatique de son livre est celle où il parle des efforts surhumains de volonté qu'il lui a fallu déployer pour échapper à la damnation à laquelle il s'était imprudemment voué lui-même.

Aujourd'hui, je ne parlerai que du haschisch, et j'en parlerai suivant des renseignements nombreux et minutieux, extraits des notes ou des confidences d'hommes intelligents qui s'y étaient adonnés longtemps. Seulement, je fondrai ces documents variés en une sorte de monographie, choisissant une âme, facile d'ailleurs à expliquer et à définir, comme type propre aux expériences de cette nature.

II

QU'EST-CE QUE LE HASCHISCH ?

Les récits de Marco Polo dont on s'est à tort
moqué, comme de quelques autres voyageurs
anciens, ont été vérifiés par les savants et
méritent notre créance. Je ne raconterai pas
après lui comment le Vieux de la Montagne
enfermait, après les avoir enivrés de haschisch
(d'où Haschischins ou Assassins), dans un jardin plein de délices, ceux de ses plus jeunes disciples à qui il voulait donner une idée du paradis, récompense entrevue, pour ainsi dire, d'une
obéissance passive et irréfléchie. Le lecteur
peut, relativement à la société secrète des Haschischins, consulter le livre de M. de Hammer et
le mémoire de M. Silvestre de Sacy, contenu
dans le tome XVI des *Mémoires de l'Académie
des Inscriptions et Belles-Lettres*, et, relativement
à l'étymologie du mot *assassin*, sa lettre au
rédacteur du *Moniteur*, insérée dans le
numéro 359 de l'année 1809. Hérodote raconte
que les Scythes amassaient des graines de
chanvre sur lesquelles ils jetaient des pierres
rougies au feu. C'était pour eux comme un bain
de vapeur plus parfumée que celle d'aucune
étuve grecque, et la jouissance en était si vive
qu'elle leur arrachait des cris de joie.

Le haschisch, en effet, nous vient de l'Orient ; les propriétés excitantes du chanvre étaient bien connues dans l'ancienne Égypte, et l'usage en est très-répandu, sous différents noms, dans l'Inde, dans l'Algérie et dans l'Arabie Heureuse. Mais nous avons auprès de nous, sous nos yeux, des exemples curieux de l'ivresse causée par les émanations végétales. Sans parler des enfants qui, après avoir joué et s'être roulés dans des amas de luzerne fauchée, éprouvent souvent de singuliers vertiges, on sait que, lorsque se fait la moisson du chanvre, les travailleurs mâles et femelles subissent des effets analogues ; on dirait que de la moisson s'élève un miasme qui trouble malicieusement leur cerveau. La tête du moissonneur est pleine de tourbillons, quelquefois chargée de rêveries. À de certains moments, les membres s'affaiblissent et refusent le service. Nous avons entendu parler de crises somnambuliques assez fréquentes chez les paysans russes, dont la cause, dit-on, doit être attribuée à l'usage de l'huile de chènevis dans la préparation des aliments. Qui ne connaît les extravagances des poules qui ont mangé des graines de chènevis, et l'enthousiasme fougueux des chevaux, que les paysans, dans les noces et les fêtes patronales, préparent à une course au clocher par une ration de chènevis quelquefois arrosée de vin ?

Cependant le chanvre français est impropre à se transformer en haschisch, ou du moins, d'après les expériences répétées, impropre à donner une drogue égale en puissance au haschisch. Le haschisch, ou chanvre indien, *cannabis indica*, est une plante de la famille des urticées, en tout semblable, sauf qu'elle n'atteint pas la même hauteur, au chanvre de nos climats. Il possède des propriétés enivrantes très-extraordinaires qui, depuis quelques années, ont attiré en France l'attention des savants et des gens du monde. Il est plus ou moins estimé, suivant ses différentes provenances ; celui du Bengale est le plus prisé par les amateurs ; cependant ceux d'Égypte, de Constantinople, de Perse et d'Algérie jouissent des mêmes propriétés, mais à un degré inférieur.

Le haschisch (ou herbe, c'est-à-dire l'herbe par excellence, comme si les Arabes avaient voulu définir en un mot l'*herbe*, source de toutes les voluptés immatérielles) porte différents noms, suivant sa composition et le mode de préparation qu'il a subie dans le pays où il a été récolté : dans l'Inde, *bangie* ; en Afrique, *teriaki* ; en Algérie et dans l'Arabie Heureuse, *madjound*, etc. Il n'est pas indifférent de le cueillir à toutes les époques de l'année ; c'est quand il est en fleur qu'il possède sa plus grande énergie ; les sommités fleuries sont, par conséquent, les seules parties employées dans les différentes préparations dont nous avons à dire quelques mots.

L'*extrait gras* du haschisch, tel que le préparent les Arabes, s'obtient en faisant bouillir les sommités de la plante fraîche dans du beurre avec un peu d'eau. On fait passer, après évaporation complète de toute humidité, et l'on obtient ainsi une préparation qui a l'apparence d'une pommade de couleur jaune verdâtre, et qui garde une odeur désagréable de haschisch et de beurre rance. Sous cette forme, on l'emploie en petites boulettes de deux à quatre grammes ; mais à cause de son odeur répugnante, qui va croissant avec le temps, les Arabes mettent l'extrait gras sous la forme de confitures.

La plus usitée de ces confitures, le *dawamesk*,

est un mélange d'extrait gras, de sucre et de divers aromates, tels que vanille, cannelle, pistaches, amandes, musc. Quelquefois même on y ajoute un peu de cantharides, dans un but qui n'a rien de commun avec les résultats ordinaires du haschisch. Sous cette forme nouvelle, le haschisch n'a rien de désagréable, et on peut le prendre à la dose de quinze, vingt et trente grammes, soit enveloppé dans une feuille de pain à chanter, soit dans une tasse de café.

Les expériences faites par MM. Smith, Gastinel et Decourtive ont eu pour but d'arriver à la découverte du principe actif du haschisch. Malgré leurs efforts, sa combinaison chimique est encore peu connue; mais on attribue généralement ses propriétés à une matière résineuse qui s'y trouve en assez bonne dose, dans la proportion de dix pour cent environ. Pour obtenir cette résine, on réduit la plante sèche en poudre grossière, et on la lave plusieurs fois avec de l'alcool que l'on distille ensuite pour le retirer en partie; on fait évaporer jusqu'à consistance d'extrait; on traite cet extrait par l'eau, qui dissout les matières gommeuses étrangères et la résine reste alors à l'état de pureté.

Ce produit est mou, d'une couleur verte foncée, et possède à un haut degré l'odeur caractéristique du haschisch. Cinq, dix, quinze centigrammes suffisent pour produire des effets surprenants. Mais la haschischine, qui peut s'administrer sous forme de pastilles au chocolat ou de petites pilules gingembrées, a, comme le dawamesk et l'extrait gras, des effets plus ou moins vigoureux et d'une nature très-variée, suivant le tempérament des individus et leur susceptibilité nerveuse. Il y a mieux, c'est que le résultat varie dans le même individu. Tantôt ce

sera une gaieté immodérée et irrésistible, tantôt
une sensation de bien-être et de plénitude de
vie, d'autres fois un sommeil équivoque et traversé de rêves. Il existe cependant des phénomènes qui se reproduisent assez régulièrement,
surtout chez les personnes d'un tempérament et
d'une éducation analogues ; il y a une espèce
d'unité dans la variété qui me permettra de rédiger sans trop de peine cette monographie de
l'ivresse dont j'ai parlé tout à l'heure.

À Constantinople, en Algérie et même en
France, quelques personnes fument du haschisch mêlé avec du tabac ; mais alors les phénomènes en question ne se produisent que sous
une forme très-modérée et, pour ainsi dire,
paresseuse. J'ai entendu dire qu'on avait récemment, au moyen de la distillation, tiré du haschisch une huile essentielle qui paraît posséder
une vertu beaucoup plus active que toutes les
préparations connues jusqu'à présent ; mais elle
n'a pas été assez étudiée pour que je puisse avec
certitude parler de ses résultats. N'est-il pas
superflu d'ajouter que le thé, le café et les
liqueurs sont des adjuvants puissants qui accé-
lèrent plus ou moins l'éclosion de cette ivresse
mystérieuse ?

III

LE THÉÂTRE DE SÉRAPHIN

Qu'éprouve-t-on? que voit-on? des choses
merveilleuses, n'est-ce pas? des spectacles
extraordinaires? Est-ce bien beau? et bien terrible? et bien dangereux? — Telles sont les
questions ordinaires qu'adressent, avec une
curiosité mêlée de crainte, les ignorants aux
adeptes. On dirait une enfantine impatience de
savoir, comme celle des gens qui n'ont jamais
quitté le coin de leur feu, quand ils se trouvent
en face d'un homme qui revient de pays loin-
tains et inconnus. Ils se figurent l'ivresse du haschisch comme un pays prodigieux, un vaste
théâtre de prestidigitation et d'escamotage, où
tout est miraculeux et imprévu. C'est là un pré-
jugé, une méprise complète. Et puisque, pour le
commun des lecteurs et des questionneurs, le
mot haschisch comporte l'idée d'un monde
étrange et bouleversé, l'attente de rêves prodigieux (il serait mieux de dire hallucinations, lesquelles sont d'ailleurs moins fréquentes qu'on
ne le suppose), je ferai tout de suite remarquer
l'importante différence qui sépare les effets du
haschisch des phénomènes du sommeil. Dans le
sommeil, ce voyage aventureux de tous les soirs,
il y a quelque chose de positivement mira-

culeux; c'est un miracle dont la ponctualité a émoussé le mystère. Les rêves de l'homme sont de deux classes. Les uns, pleins de sa vie ordinaire, de ses préoccupations, de ses désirs, de ses vices, se combinent d'une façon plus ou moins bizarre avec les objets entrevus dans la journée, qui se sont indiscrètement fixés sur la vaste toile de sa mémoire. Voilà le rêve naturel; il est l'homme lui-même. Mais l'autre espèce de rêve! le rêve absurde, imprévu, sans rapport ni connexion avec le caractère, la vie et les passions du dormeur! ce rêve, que j'appellerai hiéroglyphique, représente évidemment le côté surnaturel de la vie, et c'est justement parce qu'il est absurde que les anciens l'ont cru divin. Comme il est inexplicable par les causes naturelles, ils lui ont attribué une cause extérieure à l'homme; et encore aujourd'hui, sans parler des onéiromanciens, il existe une école philosophique qui voit dans les rêves de ce genre tantôt un reproche, tantôt un conseil; en somme, un tableau symbolique et moral, engendré dans l'esprit même de l'homme qui sommeille. C'est un dictionnaire qu'il faut étudier, une langue dont les sages peuvent obtenir la clef.

Dans l'ivresse du haschisch, rien de semblable. Nous ne sortirons pas du rêve naturel. L'ivresse, dans toute sa durée, ne sera, il est vrai, qu'un immense rêve, grâce à l'intensité des couleurs et à la rapidité des conceptions; mais elle gardera toujours la tonalité particulière de l'individu. L'homme a voulu rêver, le rêve gouvernera l'homme; mais ce rêve sera bien le fils de son père. L'oisif s'est ingénié pour introduire artificiellement le surnaturel dans sa vie et dans sa pensée; mais il n'est, après tout et malgré l'énergie accidentelle de ses sensations, que le même homme augmenté, le même nombre élevé à une très-haute puissance. Il est subjugué; mais, pour son malheur, il ne l'est que par lui-même, c'est-à-dire par la partie déjà dominante de lui-même; *il a voulu faire l'ange, il est devenu une bête*, momentanément très-puissante, si toutefois on peut appeler puissance une sensibilité excessive, sans gouvernement pour la modérer ou l'exploiter.

Que les gens du monde et les ignorants, curieux de connaître des jouissances exceptionnelles, sachent donc bien qu'ils ne trouveront dans le haschisch rien de miraculeux, absolument rien que le naturel excessif. Le cerveau et l'organisme sur lesquels opère le haschisch ne donneront que leurs phénomènes ordinaires, individuels, augmentés, il est vrai, quant au nombre et à l'énergie, mais toujours fidèles à leur origine. L'homme n'échappera pas à la fatalité de son tempérament physique et moral : le haschisch sera, pour les impressions et les pensées familières de l'homme, un miroir grossissant, mais un pur miroir.

Voici la drogue sous vos yeux : un peu de confiture verte, gros comme une noix, singulièrement odorante, à ce point qu'elle soulève une certaine répulsion et des velléités de nausée, comme le ferait, du reste, toute odeur fine et même agréable, portée à son maximum de force et pour ainsi dire de densité. Qu'il me soit permis de remarquer, en passant, que cette proposition peut être inversée, et que le parfum le plus répugnant, le plus révoltant, deviendrait peut-être un plaisir s'il était réduit à son minimum de quantité et d'expansion. — Voilà donc le bonheur ! il remplit la capacité d'une petite cuiller ! le bonheur avec toutes ses ivresses, toutes ses

folies, tous ses enfantillages! Vous pouvez avaler sans crainte; on n'en meurt pas. Vos organes
physiques n'en recevront aucune atteinte. Plus
tard peut-être un trop fréquent appel au sortilège diminuera-t-il la force de votre volonté,
peut-être serez-vous moins homme que vous ne
l'êtes aujourd'hui; mais le châtiment est si lointain, et le désastre futur d'une nature si difficile
à définir! Que risquez-vous? demain un peu de
fatigue nerveuse. Ne risquez-vous pas tous les
jours de plus grands châtiments pour de
moindres récompenses? Ainsi, c'est dit : vous
avez même, pour lui donner plus de force et
d'expansion, délayé votre dose d'extrait gras
dans une tasse de café noir; vous avez pris soin
d'avoir l'estomac libre, reculant vers neuf ou dix
heures du soir le repas substantiel, pour livrer
au poison toute liberté d'action; tout au plus
dans une heure prendrez-vous une légère soupe.
Vous êtes maintenant suffisamment lesté pour
un long et singulier voyage. La vapeur a sifflé, la
voilure est orientée, et vous avez sur les voyageurs ordinaires ce curieux privilège d'ignorer
où vous allez. Vous l'avez voulu; vive la fatalité!

Je présume que vous avez eu la précaution de
bien choisir votre moment pour cette aventu-
reuse expédition. Toute débauche parfaite a
besoin d'un parfait loisir. Vous savez d'ailleurs
que le haschisch crée l'exagération non-seulement de l'individu, mais aussi de la circonstance
et du milieu; vous n'avez pas de devoirs à
accomplir exigeant de la ponctualité, de l'exactitude; point de chagrins de famille; point de
douleurs d'amour. Il faut y prendre garde. Ce
chagrin, cette inquiétude, ce souvenir d'un
devoir qui réclame votre volonté et votre attention à une minute déterminée, viendraient son-

ner comme un glas à travers votre ivresse et empoisonneraient votre plaisir. L'inquiétude deviendrait angoisse ; le chagrin, torture. Si, toutes ces conditions préalables observées, le temps est beau, si vous êtes situé dans un milieu favorable, comme un paysage pittoresque ou un appartement poétiquement décoré, si de plus vous pouvez espérer un peu de musique, alors tout est pour le mieux.

Il y a généralement dans l'ivresse du haschisch trois phases assez faciles à distinguer, et ce n'est pas une chose peu curieuse à observer, chez les novices, que les premiers symptômes de la première phase. Vous avez entendu parler vaguement des merveilleux effets du haschisch ; votre imagination a préconçu une idée particulière, quelque chose comme un idéal d'ivresse ; il vous tarde de savoir si la réalité sera décidément à la hauteur de votre espérance. Cela suffit pour vous jeter dès le commencement dans un état anxieux, assez favorable à l'humeur conquérante et envahissante du poison. La plupart des novices, au premier degré d'initiation, se plaignent de la lenteur des effets ; ils les attendent avec une impatience puérile, et, la drogue n'agissant pas assez vite à leur gré, ils se livrent à des fanfaronnades d'incrédulité qui sont fort réjouissantes pour les vieux initiés qui savent comment le haschisch se gouverne. Les premières atteintes, comme les symptômes d'un orage longtemps indécis, apparaissent et se multiplient au sein même de cette incrédulité. C'est d'abord une certaine hilarité, saugrenue, irrésistible, qui s'empare de vous. Ces accès de gaieté non motivée, dont vous êtes presque honteux, se reproduisent fréquemment, et coupent des intervalles de stupeur pendant lesquels vous

cherchez en vain à vous recueillir. Les mots les
plus simples, les idées les plus triviales prennent
une physionomie bizarre et nouvelle ; vous vous
étonnez même de les avoir jusqu'à présent trouvés si simples. Des ressemblances et des rap-
prochements incongrus, impossibles à prévoir,
des jeux de mots interminables, des ébauches de
comique, jaillissent continuellement de votre
cerveau. Le démon vous a envahi ; il est inutile
de regimber contre cette hilarité, douloureuse
comme un chatouillement. De temps en temps
vous riez de vous-même, de votre niaiserie et de
votre folie, et vos camarades, si vous en avez,
rient également de votre état et du leur ; mais,
comme ils sont sans malice, vous êtes sans rancune.

Cette gaieté, tour à tour languissante ou poi-
gnante, ce malaise dans la joie, cette insécurité,
cette indécision de la maladie, ne durent généralement qu'un temps assez court. Bientôt les
rapports d'idées deviennent tellement vagues, le
fil conducteur qui relie vos conceptions si ténu,
que vos complices seuls peuvent vous
comprendre. Et encore, sur ce sujet et de ce
côté, aucun moyen de vérification ; peut-être
croient-ils vous comprendre, et l'illusion est-elle
réciproque. Cette folâtrerie et ces éclats de rire,
qui ressemblent à des explosions, apparaissent
comme une véritable folie, au moins comme
une niaiserie de maniaque, à tout homme qui
n'est pas dans le même état que vous. De même
la sagesse et le bon sens, la régularité des pensées chez le témoin prudent qui ne s'est pas enivré, vous réjouit et vous amuse comme un genre
particulier de démence. Les rôles sont interver-
tis. Son sang-froid vous pousse aux dernières
limites de l'ironie. N'est-ce pas une situation

mystérieusement comique que celle d'un homme qui jouit d'une gaieté incompréhensible pour qui ne s'est pas placé dans le même milieu que lui ? Le fou prend le sage en pitié, et dès lors l'idée de sa supériorité commence à poindre à l'horizon de son intellect. Bientôt elle grandira, grossira et éclatera comme un météore.

J'ai été témoin d'une scène de ce genre qui a été poussée fort loin, et dont le grotesque n'était intelligible que pour ceux qui connaissaient, au moins par l'observation sur autrui, les effets de la substance et la différence énorme de diapason qu'elle crée entre deux intelligences supposées égales. Un musicien célèbre, qui ignorait les propriétés du haschisch, qui peut-être n'en avait jamais entendu parler, tombe au milieu d'une société dont plusieurs personnes en avaient pris. On essaye de lui en faire comprendre les merveilleux effets. À ces prodigieux récits, il sourit avec grâce, par complaisance, comme un homme qui veut bien *poser* pendant quelques minutes. Sa méprise est vite devinée par ces esprits que le poison a aiguisés, et les rires le blessent. Ces éclats de joie, ces jeux de mots, ces physionomies altérées, toute cette atmosphère malsaine l'irritent et le poussent à déclarer, plus tôt peut-être qu'il n'aurait voulu, *que cette charge d'artiste est mauvaise, et que d'ailleurs elle doit être bien fatigante pour ceux qui l'ont entreprise.* Le comique illumina tous les esprits comme un éclair. Ce fut un redoublement de joie. « Cette *charge* peut être bonne pour vous, dit-il, mais pour moi, non. » — « Il suffit qu'elle soit bonne pour nous », réplique en égoïste un des malades. Ne sachant s'il a affaire à de véritables fous ou à des gens qui simulent la folie, notre homme croit que le parti le plus sage est de se retirer; mais quelqu'un ferme la porte et cache la clef. Un autre, s'agenouillant devant lui, lui demande pardon au nom de la société, et lui déclare insolemment, mais avec larmes, que, malgré son infériorité spirituelle, qui peut-être excite un peu de pitié, tous sont pénétrés pour lui d'une amitié profonde. Celui-ci se résigne à rester, et même il condescend, sur des prières instantes, à faire un peu de musique. Mais les sons du violon, en se répandant dans l'appartement comme une nouvelle contagion, *empoignaient* (le mot n'est pas trop fort) tantôt un malade, tantôt un autre. C'étaient des soupirs rauques et profonds, des sanglots soudains, des ruisseaux de larmes silencieuses. Le musicien épouvanté s'arrête, et, s'approchant de celui dont la béatitude faisait le plus de tapage, lui demande s'il souffre beaucoup et ce qu'il faudrait faire pour le soulager. Un des assistants, *un homme pratique*, propose de la limonade et des acides. Mais le malade, l'extase dans les yeux, les regarde tous deux avec un indicible mépris. Vouloir guérir un homme malade de trop de vie, malade de joie!

Comme on le voit par cette anecdote, la bienveillance tient une assez grande place dans les sensations causées par le haschisch; une bienveillance molle, paresseuse, muette et dérivant de l'attendrissement des nerfs. À l'appui de cette observation, une personne m'a raconté une aventure qui lui était arrivée dans cet état d'ivresse; et comme elle avait gardé un souvenir très-exact de ses sensations, je compris parfaitement dans quel embarras grotesque, inextricable, l'avait jetée cette différence de diapason et de niveau dont je parlais tout à l'heure. Je ne me rappelle pas si l'homme en question en était

à sa première ou à sa seconde expérience.
Avait-il pris une dose un peu trop forte, ou le
haschisch avait-il produit, sans l'aide d'aucune
autre cause apparente (ce qui arrive fréquemment), des effets beaucoup plus vigoureux ? Il
me raconta qu'à travers sa jouissance, cette
jouissance suprême de se sentir plein de vie et
de se croire plein de génie, il avait tout d'un
coup rencontré un objet de terreur. D'abord
ébloui par la beauté de ses sensations, il en avait
été subitement épouvanté. Il s'était demandé ce
que deviendrait son intelligence et ses organes,
si cet état, qu'il prenait pour un état surnaturel,
allait toujours s'aggravant, si ses nerfs deve-
naient toujours de plus en plus délicats. Par la
faculté de grossissement que possède l'œil spirituel du patient, cette peur doit être un supplice
ineffable. « J'étais, disait-il, comme un cheval
emporté et courant vers un abîme, voulant
s'arrêter, mais ne le pouvant pas. En effet,
c'était un galop effroyable, et ma pensée, esclave
de la circonstance, du milieu, de l'accident et de
tout ce qui peut être impliqué dans le mot
hasard, avait pris un tour purement et absolument rapsodique. Il est trop tard ! me répétais-je
sans cesse avec désespoir. Quand cessa ce mode
de sentir, qui me parut durer un temps infini et
qui n'occupa peut-être que quelques minutes,
quand je crus pouvoir enfin me plonger dans la
béatitude, si chère aux Orientaux, qui succède à
cette phase furibonde, je fus accablé d'un nouveau *malheur*. Une nouvelle inquiétude, bien triviale et bien puérile, s'abattit sur moi. Je me
souvins tout d'un coup que j'étais invité à un
dîner, à une soirée d'hommes sérieux. Je me vis
à l'avance au milieu d'une foule sage et discrète,
où chacun est maître de soi-même, obligé de

cacher soigneusement l'état de mon esprit sous
l'éclat des lampes nombreuses. Je croyais bien
que j'y réussirais, mais aussi je me sentais
presque défaillir en pensant aux efforts de
volonté qu'il me faudrait déployer. Par je ne sais
quel accident, les paroles de l'Évangile : « Malheur à celui par qui le scandale arrive ! »
venaient de surgir dans ma mémoire, et tout en
voulant les oublier, en m'appliquant à les
oublier, je les répétais sans cesse dans mon
esprit. Mon malheur (car c'était un véritable
malheur) prit alors des proportions grandioses.
Je résolus, malgré ma faiblesse, de faire acte
d'énergie et de consulter un pharmacien ; car
j'ignorais les réactifs, et je voulais aller, l'esprit
libre et dégagé, dans le monde où m'appelait
mon devoir. Mais sur le seuil de la boutique une
pensée soudaine me prit, qui m'arrêta quelques
instants et me donna à réfléchir. Je venais de me
regarder, en passant, dans la glace d'une devan-
ture, et mon visage m'avait étonné. Cette pâleur,
ces lèvres rentrées, ces yeux agrandis ! « Je vais
inquiéter ce brave homme, me dis-je, et pour
quelle niaiserie ! » Ajoutez à cela le sentiment du
ridicule que je voulais éviter, la crainte de trouver du monde dans la boutique. Mais ma bienveillance soudaine pour cet apothicaire inconnu
dominait tous mes autres sentiments. Je me
figurais cet homme aussi sensible que je l'étais
moi-même en cet instant funeste, et, comme je
m'imaginais aussi que son oreille et son âme
devaient, comme les miennes, vibrer au
moindre bruit, je résolus d'entrer chez lui sur la
pointe du pied. Je ne saurais, me disais-je, montrer trop de discrétion chez un homme dont je
vais alarmer la charité. Et puis je me promettais
d'éteindre le son de ma voix comme le bruit de

mes pas : vous la connaissez, cette voix du haschisch ? grave, profonde, gutturale, et ressem-
blant beaucoup à celle des vieux mangeurs
d'opium. Le résultat fut le contraire de ce que je
voulais obtenir. Décidé à rassurer le pharmacien, je l'épouvantai. Il ne connaissait rien de
cette *maladie*, n'en avait jamais entendu parler.
Cependant il me regardait avec une curiosité
fortement mêlée de défiance. Me prenait-il pour
un fou, un malfaiteur ou un mendiant ? Ni ceci,
ni cela, sans doute ; mais toutes ces idées
absurdes traversèrent mon cerveau. Je fus
obligé de lui expliquer longuement (quelle
fatigue !) ce que c'était que la confiture de
chanvre et à quel usage cela servait, lui répétant
sans cesse qu'il n'y avait pas de danger, qu'il n'y
avait pas, *pour lui*, de raison de s'alarmer, et que
je ne demandais qu'un moyen d'adoucissement
ou de réaction, insistant fréquemment sur le
chagrin sincère que j'éprouvais de lui causer de
l'ennui. Enfin, — comprenez bien toute l'humiliation contenue pour moi dans ces paroles, — il
me pria simplement *de me retirer*. Telle fut la
récompense de ma charité et de ma bienveillance exagérées. J'allai à ma soirée ; je ne scan-
dalisai personne. Nul ne devina les efforts surhumains qu'il me fallut faire pour ressembler à
tout le monde. Mais je n'oublierai jamais les tortures d'une ivresse ultra-poétique, gênée par le
décorum et contrariée par un devoir ! »

Quoique naturellement porté à sympathiser
avec toutes les douleurs qui naissent de l'imagination, je ne pus m'empêcher de rire de ce récit.
L'homme qui me le faisait n'est pas corrigé. Il a
continué à demander à la confiture maudite
l'excitation qu'il faut trouver en soi-même ; mais
comme c'est un homme prudent, rangé, *un*

homme du monde, il a diminué les doses, ce qui
lui a permis d'en augmenter la fréquence. Il
appréciera plus tard les fruits pourris de son
hygiène.

Je reviens au développement régulier de
l'ivresse. Après cette première phase de gaieté
enfantine, il y a comme un apaisement momentané. Mais de nouveaux événements
s'annoncent bientôt par une sensation de fraîcheur aux extrémités (qui peut même devenir un
froid très-intense chez quelques individus) et
une grande faiblesse dans tous les membres;
vous avez alors des mains de beurre, et, dans
votre tête, dans tout votre être, vous sentez une
stupeur et une stupéfaction embarrassantes.
Vos yeux s'agrandissent; ils sont comme tirés
dans tous les sens par une extase implacable.
Votre face s'inonde de pâleur. Les lèvres se
rétrécissent et vont rentrant dans la bouche,
avec ce mouvement d'anhélation qui caractérise
l'ambition d'un homme en proie à de grands
projets, oppressé par de vastes pensées, ou ras-
semblant sa respiration pour prendre son élan.
La gorge se ferme, pour ainsi dire. Le palais est
desséché par une soif qu'il serait infiniment
doux de satisfaire, si les délices de la paresse
n'étaient pas plus agréables et ne s'opposaient
pas au moindre dérangement du corps. Des soupirs rauques et profonds s'échappent de votre
poitrine, comme si votre *ancien* corps ne pouvait pas supporter les désirs et l'activité de votre
âme *nouvelle*. De temps à autre, une secousse
vous traverse et vous commande un mouvement
involontaire, comme ces soubresauts qui, à la
fin d'une journée de travail ou dans une nuit
orageuse, précèdent le sommeil définitif.

Avant d'aller plus loin, je veux, à propos de

cette sensation de fraîcheur dont je parlais plus
haut, raconter encore une anecdote qui servira à
montrer jusqu'à quel point les effets, même
purement physiques, peuvent varier suivant les
individus. Cette fois, c'est un littérateur qui
parle, et en quelques passages de son récit on
pourra, je crois, trouver les indices d'un tempérament littéraire.

« J'avais, me dit celui-ci, pris une dose modérée d'extrait gras, et tout allait pour le mieux. La
crise de gaieté maladive avait duré peu de
temps, et je me trouvais dans un état de lan-
gueur et d'étonnement qui était presque du bonheur. Je me promettais donc une soirée tranquille et sans soucis. Malheureusement le
hasard me contraignit à accompagner quelqu'un
au spectacle. Je pris mon parti en brave, résolu à
déguiser mon immense désir de paresse et
d'immobilité. Toutes les voitures de mon quartier se trouvant retenues, il fallut me résigner à
faire un long trajet à pied, à traverser les bruits
discordants des voitures, les conversations stupides des passants, tout un océan de trivialités.
Une légère fraîcheur s'était déjà manifestée au
bout de mes doigts; bientôt elle se transforma
en un froid très-vif, comme si j'avais les deux
mains plongées dans un seau d'eau glacée. Mais
ce n'était pas une souffrance; cette sensation
presque aiguë me pénétrait plutôt comme une
volupté. Cependant il me semblait que ce froid
m'envahissait de plus en plus, au fur et à mesure
de cet interminable voyage. Je demandai deux
ou trois fois à la personne que j'accompagnais
s'il faisait réellement très froid; il me fut
répondu qu'au contraire la température était
plus que tiède. Installé enfin dans la salle,
enfermé dans la boîte qui m'était destinée, avec

trois ou quatre heures de repos devant moi, je
me crus arrivé à la terre promise. Les sentiments que j'avais refoulés pendant la route, avec
toute la pauvre énergie dont je pouvais disposer,
firent donc irruption, et je m'abandonnai librement à ma muette frénésie. Le froid augmentait
toujours, et cependant je voyais des gens légèrement vêtus, ou même s'essuyant le front avec un
air de fatigue. Cette idée réjouissante me prit,
que j'étais un homme privilégié, à qui seul était
accordé le droit d'avoir froid en été dans une
salle de spectacle. Ce froid s'accroissait au point
de devenir alarmant ; mais j'étais avant tout
dominé par la curiosité de savoir jusqu'à quel
degré il pourrait descendre. Enfin il vint à un tel
point, il fut si complet, si général, que toutes
mes idées se congelèrent, pour ainsi dire ; j'étais
un morceau de glace pensant ; je me considérais
comme une statue taillée dans un seul bloc de
glace ; et cette folle hallucination me causait une
fierté, excitait en moi un bien-être moral que je
ne saurais vous définir. Ce qui ajoutait à mon
abominable jouissance était la certitude que
tous les assistants ignoraient ma nature et
quelle supériorité j'avais sur eux ; et puis le bonheur de penser que mon camarade ne s'était pas
douté un seul instant de quelles bizarres sensations j'étais possédé ! Je tenais la récompense de
ma dissimulation, et ma volupté exceptionnelle
était un vrai secret.

« Du reste, j'étais à peine entré dans ma loge
que mes yeux avaient été frappés d'une impression de ténèbres qui me paraît avoir quelque
parenté avec l'idée de froid. Il se peut bien que
ces idées se soient prêté réciproquement de la
force. Vous savez que le haschisch invoque toujours des magnificences de lumière, des splen-

deurs glorieuses, des cascades d'or liquide ;
toute lumière lui est bonne, celle qui ruisselle en
nappe et celle qui s'accroche comme du paillon
aux pointes et aux aspérités, les candélabres des
salons, les cierges du mois de Marie, les ava-
lanches de rose dans les couchers de soleils. Il
paraît que ce misérable lustre répandait une
lumière bien insuffisante pour cette soif insatiable de clarté ; je crus entrer, comme je vous
l'ai dit, dans un monde de ténèbres, qui d'ailleurs s'épaissirent graduellement, pendant que
je rêvais nuit polaire et hiver éternel. Quant à la
scène (c'était une scène consacrée au genre
comique), elle seule était lumineuse, infiniment
petite et située loin, très-loin, comme au bout
d'un immense stéréoscope. Je ne vous dirai pas
que j'écoutais les comédiens, vous savez que
cela est impossible ; de temps en temps ma pensée accrochait au passage un lambeau de
phrase, et, semblable à une danseuse habile, elle
s'en servait comme d'un tremplin pour bondir
dans des rêveries très-lointaines. On pourrait
supposer qu'un drame, entendu de cette façon,
manque de logique et d'enchaînement ; détrom-
pez-vous ; je découvrais un sens très-subtil dans
le drame créé par ma distraction. Rien ne m'en
choquait, et je ressemblais un peu à ce poëte
qui, voyant jouer *Esther* pour la première fois,
trouvait tout naturel qu'Aman fît une déclara-
tion d'amour à la reine. C'était, comme on le
devine, l'instant où celui-ci se jette aux pieds
d'Esther pour implorer le pardon de ses crimes.
Si tous les drames étaient entendus selon cette
méthode, ils y gagneraient de grandes beautés,
même ceux de Racine.

« Les comédiens me semblaient excessivement petits et cernés d'un contour précis et soi-

gné, comme les figures de Meissonier. Je voyais
distinctement, non-seulement les détails les plus
minutieux de leurs ajustements, comme dessins
d'étoffe, coutures, boutons, etc., mais encore la
ligne de séparation du faux front d'avec le véritable, le blanc, le bleu et le rouge, et tous les
moyens de grimage. Et ces lilliputiens étaient
revêtus d'une clarté froide et magique, comme
celle qu'une vitre très-nette ajoute à une peinture à l'huile. Lorsque je pus enfin sortir de ce
caveau de ténèbres glacées et que, la fantasmagorie intérieure se dissipant, je fus rendu à moi-
même, j'éprouvai une lassitude plus grande que
ne m'en a jamais causé un travail tendu et
forcé. »

C'est en effet à cette période de l'ivresse que se
manifeste une finesse nouvelle, une acuité supérieure dans tous les sens. L'odorat, la vue, l'ouïe,
le toucher participent également à ce progrès.
Les yeux visent l'infini. L'oreille perçoit des sons
presque insaisissables au milieu du plus vaste
tumulte. C'est alors que commencent les hallucinations. Les objets extérieurs prennent lentement, successivement, des apparences singulières ; ils se déforment et se transforment. Puis
arrivent les équivoques, les méprises et les
transpositions d'idées. Les sons se revêtent de
couleurs, et les couleurs contiennent une
musique. Cela, dira-t-on, n'a rien que de fort
naturel, et tout cerveau poétique, dans son état
sain et normal, conçoit facilement ces analogies. Mais j'ai déjà averti le lecteur qu'il n'y avait
rien de positivement surnaturel dans l'ivresse du
haschisch ; seulement, ces analogies revêtent
alors une vivacité inaccoutumée ; elles
pénètrent, elles envahissent, elles accablent
l'esprit de leur caractère despotique. Les notes

musicales deviennent des nombres, et si votre esprit est doué de quelque aptitude mathématique, la mélodie, l'harmonie écoutée, tout en gardant son caractère voluptueux et sensuel, se transforme en une vaste opération arithmétique, où les nombres engendrent les nombres et dont vous suivez les phases et la génération avec une facilité inexplicable et une agilité égale à celle de l'exécutant.

Il arrive quelquefois que la personnalité disparaît et que l'objectivité, qui est le propre des poëtes panthéistes, se développe en vous si anormalement que la contemplation des objets extérieurs vous fait oublier votre propre existence, et que vous vous confondez bientôt avec eux. Votre œil se fixe sur un arbre harmonieux courbé par le vent ; dans quelques secondes, ce qui ne serait dans le cerveau d'un poëte qu'une comparaison fort naturelle deviendra dans le vôtre une réalité. Vous prêtez d'abord à l'arbre vos passions, votre désir ou votre mélancolie ; ses gémissements et ses oscillations deviennent les vôtres, et bientôt vous êtes l'arbre. De même, l'oiseau qui plane au fond de l'azur *représente* d'abord l'immortelle envie de planer au-dessus des choses humaines ; mais déjà vous êtes l'oiseau lui-même. Je vous suppose assis et fumant. Votre attention se reposera un peu trop longtemps sur les nuages bleuâtres qui s'exhalent de votre pipe. L'idée d'une évaporation, lente, successive, éternelle, s'emparera de votre esprit, et vous appliquerez bientôt cette idée à vos propres pensées, à votre matière pensante. Par une équivoque singulière, par une espèce de transposition ou de quiproquo intellectuel, vous vous sentirez vous évaporant, et vous attribuerez à votre pipe (dans laquelle vous

vous sentez accroupi et ramassé comme le tabac), l'étrange faculté de *vous fumer*.

Par bonheur, cette interminable imagination n'a duré qu'une minute, car un intervalle de lucidité, avec un grand effort, vous a permis d'examiner la pendule. Mais un autre courant d'idées vous emporte; il vous roulera une minute encore dans son tourbillon vivant, et cette autre minute sera une autre éternité. Car les proportions du temps et de l'être sont complètement dérangées par la multitude et l'intensité des sensations et des idées. On dirait qu'on vit plusieurs vies d'hommes en l'espace d'une heure. N'êtes-vous pas alors semblable à un roman fantastique qui serait vivant au lieu d'être écrit? Il n'y a plus équation entre les organes et les jouissances; et c'est surtout de cette considération que surgit le blâme applicable à ce dangereux exercice où la liberté disparaît.

Quand je parle d'hallucinations, il ne faut pas prendre le mot dans son sens le plus strict. Une nuance très-importante distingue l'hallucination pure, telle que les médecins ont souvent occasion de l'étudier, de l'hallucination ou plutôt de la méprise des sens dans l'état mental occasionné par le haschisch. Dans le premier cas, l'hallucination est soudaine, parfaite et fatale; de plus, elle ne trouve pas de prétexte ni d'excuse dans le monde des objets extérieurs. Le malade voit une forme, entend des sons où il n'y en a pas. Dans le second cas, l'hallucination est progressive, presque volontaire, et elle ne devient parfaite, elle ne se mûrit que par l'action de l'imagination. Enfin elle a un prétexte. Le son parlera, dira des choses distinctes, mais il y avait un son. L'œil ivre de l'homme pris de haschisch verra des formes étranges ; mais, avant d'être étranges ou monstrueuses, ces formes étaient simples et naturelles. L'énergie, la vivacité vraiment parlante de l'hallucination dans l'ivresse n'infirme en rien cette différence originelle. Celle-là à une racine dans le milieu ambiant et, dans le temps présent, celle-ci n'en a pas.

Pour mieux faire comprendre ce bouillonnement d'imagination, cette maturation du rêve et cet enfantement poétique auquel est condamné un cerveau intoxiqué par le haschisch, je raconterai encore une anecdote. Cette fois, ce n'est pas un jeune homme oisif qui parle, ce n'est pas non plus un homme de lettres ; c'est une femme, une femme un peu mûre, curieuse, d'un esprit excitable, et qui, ayant cédé à l'envie de faire connaissance avec le poison, décrit ainsi, pour une autre dame, la principale de ses visions. Je transcris littéralement :

« Quelque bizarres et nouvelles que soient les sensations que j'ai tirées de ma folie de douze heures (douze ou vingt ? en vérité, je n'en sais rien), je n'y reviendrai plus. L'excitation spirituelle est trop vive, la fatigue qui en résulte trop grande ; et, pour tout dire, je trouve dans cet enfantillage quelque chose de criminel. Enfin je cédai à la curiosité ; et puis c'était une folie en commun, chez de vieux amis, où je ne voyais pas grand mal à manquer un peu de dignité. Avant tout, je dois vous dire que ce maudit haschisch est une substance bien perfide ; on se croit quelquefois débarrassé de l'ivresse, mais ce n'est qu'un calme menteur. Il y a des repos, et puis des reprises. Ainsi, vers dix heures du soir, je me trouvai dans un de ces états momentanés ; je me croyais délivrée de cette surabondance de vie qui m'avait causé tant de jouissances, il est vrai, mais qui n'était pas sans inquiétude et sans peur. Je me mis à souper avec plaisir, comme harassée par un long voyage. Car jusqu'alors, par prudence, je m'étais abstenue de manger. Mais, avant même de me lever de table, mon délire m'avait rattrapée, comme un chat une souris, et le poison se mit de nouveau à jouer avec ma pauvre cervelle. Bien que ma maison soit à peu de distance du château de nos amis et qu'il y eût une voiture à mon service, je me sentis tellement accablée du besoin de rêver et de m'abandonner à cette irrésistible folie, que j'acceptai avec joie l'offre qu'ils me firent de me garder jusqu'au lendemain. Vous connaissez le château; vous savez que l'on a arrangé, habillé et *réconforté* à la moderne toute la partie habitée par les maîtres du lieu, mais que la partie généralement inhabitée a été laissée telle quelle, avec son vieux style et ses vieilles décorations. Il fut résolu qu'on improviserait pour moi une chambre à coucher dans cette partie du château, et l'on choisit à cet effet la chambre la plus petite, une espèce de boudoir un peu fané et décrépit, qui n'en est pas moins charmant. Il faut que je vous le décrive tant bien que mal, pour que vous compreniez la singulière vision dont j'ai été la victime, vision qui m'a occupée une nuit entière, sans que j'aie eu le loisir de m'apercevoir de la fuite des heures.

« Ce boudoir est très-petit, très-étroit. À la hauteur de la corniche le plafond s'arrondit en voûte; les murs sont recouverts de glaces étroites et allongées, séparées par des panneaux où sont peints des paysages dans le style lâché des décors. À la hauteur de la corniche, sur les quatre murs, sont représentées diverses figures

allégoriques, les unes dans des attitudes repo-
sées, les autres courant ou voltigeant. Au-dessus
d'elles, quelques oiseaux brillants et des fleurs.
Derrière les figures s'élève un treillage peint en
trompe-l'œil et suivant naturellement la courbe
du plafond. Ce plafond est doré. Tous les inter-
stices entre les baguettes et les figures sont donc
recouverts d'or, et au centre l'or n'est interrompu que par le lacis géométrique du treillage
simulé. Vous voyez que cela ressemble un peu à
une *cage* très-distinguée, à une très-belle cage
pour un très-grand oiseau. Je dois ajouter que la
nuit était très-belle, très-transparente, la lune
très-vive, à ce point que, même après que j'eus
éteint la bougie, toute cette décoration resta
visible, non illuminée par l'œil de mon esprit,
comme vous pourriez le croire, mais éclairée
par cette belle nuit, dont les lueurs s'accro-
chaient à toute cette broderie d'or, de miroirs et
de couleurs bariolées.

« Je fus d'abord très-étonnée de voir de grands
espaces s'étendre devant moi, à côté de moi, de
tous côtés ; c'étaient des rivières limpides et des
paysages verdoyants se mirant dans des eaux
tranquilles. Vous devinez ici l'effet des panneaux répercutés par les miroirs. En levant les
yeux, je vis un soleil couchant semblable à du
métal en fusion qui se refroidit. C'était l'or du
plafond ; mais le treillage me donna à penser
que j'étais dans une espèce de cage ou de maison ouverte de tous côtés sur l'espace et que je
n'étais séparée de toutes ces merveilles que par
les barreaux de ma magnifique prison. Je riais
d'abord de mon illusion ; mais plus je regardais,
plus la magie augmentait, plus elle prenait de
vie, de transparence et de despotique réalité.
Dès lors l'idée de claustration domina mon

esprit, sans trop nuire, je dois le dire, aux plaisirs variés que je tirais du spectacle tendu
autour et au-dessus de moi. Je me considérais
comme enfermée pour longtemps, pour des milliers d'années peut-être, dans cette cage somp-
tueuse, au milieu de ces paysages féeriques,
entre ces horizons merveilleux. Je rêvai de *Belle
au bois dormant*, d'expiation à subir, de future
délivrance. Au-dessus de ma tête voltigeaient
des oiseaux brillants des tropiques, et, comme
mon oreille percevait le son des clochettes au
cou des chevaux qui cheminaient au loin sur la
grande route, les deux sens fondant leurs
impressions en une idée unique, j'attribuais aux
oiseaux ce chant mystérieux du cuivre, et je
croyais qu'ils chantaient avec un gosier de
métal. Évidemment ils causaient de moi et ils
célébraient ma captivité. Des singes gamba-
dants, des satyres bouffons semblaient s'amuser
de cette prisonnière étendue, condamnée à
l'immobilité. Mais toutes les divinités mythologiques me regardaient avec un charmant sourir,
comme pour m'encourager à supporter patiemment le sortilège, et toutes les prunelles glis-
saient dans le coin des paupières comme pour
s'attacher à mon regard. J'en conclus que si des
fautes anciennes, si quelques péchés inconnus à
moi-même, avaient nécessité ce châtiment temporaire, je pouvais compter cependant sur une
bonté supérieure, qui, tout en me condamnant à
la prudence, m'offrirait des plaisirs plus graves
que les plaisirs de poupée qui remplissent notre
jeunesse. Vous voyez que les considérations
morales n'étaient pas absentes de mon rêve;
mais je dois avouer que le plaisir de contempler
ces formes et ces couleurs brillantes, et de me
croire le centre d'un drame fantastique, absor-

bait fréquemment toutes autres pensées. Cet état dura longtemps, fort longtemps... Dura-t-il jusqu'au matin ? je l'ignore. Je vis tout d'un coup le soleil matinal installé dans ma chambre ; j'éprouvai un vif étonnement, et malgré tous les efforts de mémoire que j'ai pu faire, il m'a été impossible de savoir si j'avais dormi ou si j'avais subi patiemment une insomnie délicieuse. Tout à l'heure, c'était la nuit, et maintenant le jour ! Et cependant j'avais vécu longtemps, oh ! très-longtemps !... La notion du temps ou plutôt la mesure du temps étant abolie, la nuit entière n'était mesurable pour moi que par la multitude de mes pensées. Si longue qu'elle dût me paraître à ce point de vue, il me semblait toute-fois qu'elle n'avait duré que quelques secondes, ou même qu'elle n'avait pas pris place dans l'éternité.

« Je ne vous parle pas de ma fatigue... elle fut immense. On dit que l'enthousiasme des poëtes et des créateurs ressemble à ce que j'ai éprouvé, bien que je me sois toujours figuré que les gens chargés de nous émouvoir dussent être doués d'un tempérament très-calme ; mais si le délire poétique ressemble à celui que m'a procuré une petite cuillerée de confiture, je pense que les plaisirs du public coûtent bien cher aux poëtes, et ce n'est pas sans un certain bien-être, une satisfaction prosaïque, que je me suis enfin sen-tiez *chez moi*, dans mon *chez moi* intellectuel, je veux dire dans la vie réelle. »

Voilà une femme évidemment raisonnable ; mais nous ne nous servirons de son récit que pour en tirer quelques notes utiles qui compléte-ront cette description très-sommaire des princi-pales sensations engendrées par le haschisch.

Elle a parlé du souper comme d'un plaisir

arrivant fort à propos, au moment où une
embellie momentanée, mais qui semblait définitive, lui permettait de rentrer dans la vie réelle.
En effet, il y a, comme je l'ai dit, des inter-
mittences et des calmes trompeurs, et souvent le
haschisch détermine une faim vorace, presque
toujours une soif excessive. Seulement le dîner
ou le souper, au lieu d'amener un repos définitif, crée ce redoublement nouveau, cette crise
vertigineuse dont se plaignait cette dame, et qui
a été suivie par une série de visions enchanteresses, légèrement teintées de frayeur, aux-
quelles elle s'était positivement et de fort bonne
grâce résignée. La faim et la soif tyranniques
dont il est question ne trouvent pas à s'assouvir
sans un certain labeur. Car l'homme se sent tellement au-dessus des choses matérielles, ou plutôt il est tellement accablé par son ivresse, qu'il
lui faut développer un long courage pour
remuer une bouteille ou une fourchette.

La crise définitive déterminée par la digestion
des aliments est en effet très-violente : il est
impossible de lutter ; et un pareil état ne serait
pas supportable s'il durait trop longtemps et s'il
ne faisait bientôt place à une autre phase de
l'ivresse, qui, dans le cas précité, s'est traduite
par des visions splendides, doucement terri-
fiantes et en même temps pleines de consolations. Cet état nouveau est ce que les Orientaux
appellent le *kief*. Ce n'est plus quelque chose de
tourbillonnant et de tumultueux ; c'est une béatitude calme et immobile, une résignation glorieuse. Depuis longtemps vous n'êtes plus votre
maître, mais vous ne vous en affligez plus. La
douleur et l'idée du temps ont disparu, ou si
quelquefois elles osent se produire, ce n'est que
transfigurées par la sensation dominante ; et

elles sont alors, relativement à leur forme habituelle, ce que la mélancolie poétique est à la
douleur positive.

Mais, avant tout, remarquons que dans le
récit de cette dame (c'est dans ce but que je l'ai
transcrit), l'hallucination est d'un genre bâtard,
et tire sa raison d'être du spectacle extérieur ;
l'esprit n'est qu'un miroir où le milieu environ-
nant se reflète transformé d'une manière outrée.
Ensuite, nous voyons intervenir ce que j'appellerais volontiers l'hallucination morale : le sujet se
croit soumis à une expiation ; mais le tempérament féminin, qui est peu propre à l'analyse, ne
lui a pas permis de noter le singulier caractère
optimiste de ladite hallucination. Le regard
bienveillant des divinités de l'Olympe est poétisé
par un venis essentiellement *haschischin*. Je ne
dirai pas que cette dame a côtoyé le remords ;
mais ses pensées, momentanément tournées à la
mélancolie et au regret, ont été rapidement
colorées d'espérance. C'est une remarque que
nous aurons encore occasion de vérifier.

Elle a parlé de la fatigue du lendemain ; en
effet, cette fatigue est grande ; mais elle ne se
manifeste pas immédiatement, et, quand vous
êtes obligé de la reconnaître, ce n'est pas sans
étonnement. Car d'abord, quand vous avez bien
constaté qu'un nouveau jour s'est levé sur l'horizon de votre vie, vous éprouvez un bien-être
étonnant ; vous croyez jouir d'une légèreté merveilleuse. Mais vous êtes à peine debout, qu'un
vieux reste d'ivresse vous suit et vous retarde,
comme le boulet de votre récente servitude. Vos
jambes faibles ne vous conduisent qu'avec timidité, et vous craignez à chaque instant de vous
casse comme un objet fragile. Une grande lan-
gueur (il y a des gens qui prétendent qu'elle ne

manque pas de charme) s'empare de votre esprit
et se répand à travers vos facultés comme un
brouillard dans un paysage. Vous voilà, pour
quelques heures encore, incapable de travail,
d'action et d'énergie. C'est la punition de la prodigalité impie avec laquelle vous avez dépensé le
fluide nerveux. Vous avez disséminé votre personnalité aux quatre vents du ciel, et, maintenant, quelle peine n'éprouvez-vous pas à la rassembler et à la concentrer !

IV

L'HOMME-DIEU

Il est temps de laisser de côté toute cette jonglerie et ces grandes marionnettes, nées de la fumée des cerveaux enfantins. N'avons-nous pas à parler de choses plus graves : des modifications des sentiments humains, et, en un mot, de la *morale* du haschisch ?

Jusqu'à présent, je n'ai fait qu'une monographie abrégée de l'ivresse ; je me suis borné à en accentuer les principaux traits, surtout les traits matériels. Mais, ce qui est plus important, je crois, pour l'homme spirituel, c'est de connaître l'action du poison sur la partie spirituelle de l'homme, c'est-à-dire le grossissement, la déformation et l'exagération de ses sentiments habituels et de ses perceptions morales, qui présentent alors, dans une atmosphère exceptionnelle, un véritable phénomène de réfraction.

L'homme qui, s'étant livré longtemps à l'opium ou au haschisch, a pu trouver, affaibli comme il l'était par l'habitude de son servage, l'énergie nécessaire pour se délivrer, m'apparaît comme un prisonnier évadé. Il m'inspire plus d'admiration que l'homme prudent qui n'a jamais failli, ayant toujours eu soin d'éviter la tentation. Les Anglais se servent fréquemment, à propos des

mangeurs d'opium, de termes qui ne peuvent
paraître excessifs qu'aux innocents à qui sont
inconnues les horreurs de cette déchéance : *enchained, fetterel, enslaved!* Chaînes, en effet,
auprès desquelles toutes les autres, chaînes du
devoir, chaînes de l'amour illégitime, ne sont que
des trames de gaze et des tissus d'araignée !
Épouvantable mariage de l'homme avec lui-
même ! « J'étais devenu un esclave de l'opium ; il
me tenait dans ses liens, et tous mes travaux et
mes plans avaient pris la couleur de mes rêves »,
dit l'époux de Ligeia ; mais, en combien de merveilleux passages Edgar Poe, ce poëte incomparable, ce philosophe non réfuté, qu'il faut toujours citer à propos des maladies mystérieuses de
l'esprit, ne décrit-il pas les sombres et attachantes
splendeurs de l'opium ! L'amant de la lumineuse
Bérénice, Egœus le métaphysicien, parle d'une
altération de ses facultés, qui le contraint à donner une valeur anormale, monstrueuse, aux phénomènes les plus simples : « Réfléchir infatiga-
blement de longues heures, l'attention rivée à
quelque citation puérile sur la marge ou dans le
texte d'un livre, — rester absorbé, la plus grande
partie d'une journée d'été, dans une ombre
bizarre, s'allongeant obliquement sur la tapisserie ou sur le plancher, — m'oublier une nuit
entière à surveiller la flamme droite d'une lampe
ou les braises du foyer, — rêver des jours entiers
sur le parfum d'une fleur, — répéter d'une
manière monotone quelque mot vulgaire, jusqu'à
ce que le son, à force d'être répété, cessât de présenter à l'esprit une idée quelconque, — telles
étaient quelques-unes des plus communes et des
moins pernicieuses aberrations de mes facultés
mentales, aberrations qui, sans doute, ne sont
pas absolument sans exemple, mais qui défient

certainement toute explication et toute analyse. »
Et le nerveux Auguste Bedloe qui, chaque matin,
avant sa promenade, avale sa dose d'opium, nous
avoue que le principal bénéfice qu'il tire de cet
empoisonnement quotidien, est de prendre à
toute chose, même à la plus triviale, un intérêt
exagéré : « Cependant l'opium avait produit son
effet accoutumé, qui est de revêtir tout le monde
extérieur d'une intensité d'intérêt. Dans le tremblement d'une feuille, — dans la couleur d'un
brin d'herbe, — dans la forme d'un trèfle, — dans
le bourdonnement d'une abeille, — dans l'éclat
d'une goutte de rosée, — dans le soupir du vent,
— dans les vagues odeurs échappées de la forêt,
— se produisait tout un monde d'inspirations,
une procession magnifique et bigarrée de pensées désordonnées et rapsodiques. »

Ainsi s'exprime, par la bouche de ses personnages, le maître de l'horrible, le prince du mystère. Ces deux caractéristiques de l'opium sont
parfaitement applicables au haschisch ; dans l'un
comme dans l'autre cas, l'intelligence, libre
naguère, devient esclave ; mais le mot *rapsodique*,
qui définit si bien un train de pensées suggéré et
commandé par le monde extérieur et le hasard
des circonstances, est d'une vérité plus vraie et
plus terrible dans le cas du haschisch. Ici, le raisonnement n'est plus qu'une épave à la merci de
tous les courants, et le train de pensées est *infiniment plus* accéléré et plus *rapsodique*. C'est dire,
je crois, d'une manière suffisamment claire, que
le haschisch est, dans son effet présent, beaucoup
plus véhément que l'opium, beaucoup plus
ennemi de la vie régulière, en un mot, beaucoup
plus troublant. J'ignore si dix années d'intoxica-
tion par le haschisch amèneront des désastres
égaux à ceux causés par dix années de régime

d'opium; je dis que, pour l'heure présente et pour le lendemain, le haschisch a des résultats plus funestes; l'un est un séducteur paisible, l'autre un démon désordonné.

Je veux, dans cette dernière partie, définir et analyser le ravage moral causé par cette dangereuse et délicieuse gymnastique, ravage si grand, danger si profond, que ceux qui ne reviennent du combat que légèrement avariés, m'apparaissent comme des braves échappés de la caverne d'un Protée multiforme, des Orphées vainqueurs de l'Enfer. Qu'on prenne, si l'on veut, cette forme de langage pour une métaphore excessive, j'avouerai que les poisons excitants me semblent non-seulement un des plus terribles et des plus sûrs moyens dont dispose l'Esprit des Ténèbres pour enrôler et asservir la déplorable humanité, mais même une de ses incorporations les plus parfaites.

Cette fois, pour abréger ma tâche et rendre mon analyse plus claire, au lieu de rassembler des anecdotes éparses, j'accumulerai sur un seul personnage fictif une masse d'observations. J'ai donc besoin de supposer une âme de mon choix. Dans ses *Confessions*, De Quincey affirme avec raison que l'opium, au lieu d'endormir l'homme, l'excite, mais qu'il ne l'excite que dans sa voix naturelle, et qu'ainsi, pour juger les merveilles de l'opium, il serait absurde d'en référer à un marchand de bœufs; car celui-ci ne rêvera que bœufs et pâturages. Or, je n'ai pas à décrire les lourdes fantaisies d'un éleveur enivré de haschisch; qui les lirait avec plaisir? qui consentirait à les lire? Pour idéaliser mon sujet, je dois en concentrer tous les rayons dans un cercle unique, je dois les polariser; et le cercle tragique où je les vais rassembler sera, comme je l'ai dit, une âme de mon choix, quelque chose d'analogue à ce que le XVIIIe siècle appelait l'*homme sensible*, à ce que l'école romantique nommait l'*homme incompris*, et à ce que les familles et la masse bourgeoise flétrissent généralement de l'épithète d'*original*.

Un tempérament moitié nerveux, moitié bilieux, tel est le plus favorable aux évolutions d'une pareille ivresse ; ajoutons un esprit cultivé, exercé aux études de la forme et de la couleur ; un cœur tendre, fatigué par le malheur, mais encore prêt au rajeunissement ; nous irons, si vous le voulez bien, jusqu'à admettre des fautes anciennes, et, ce qui doit en résulter dans une nature facilement excitable, sinon des remords positifs, au moins le regret du temps profané et mal rempli. Le goût de la métaphysique, la connaissance des différentes hypothèses de la philosophie sur la destinée humaine, ne sont certainement pas des compléments inutiles, — non plus que cet amour de la vertu, de la vertu abstraite, stoïcienne ou mystique, qui est posé dans tous les livres dont l'enfance moderne fait sa nourriture, comme le plus haut sommet où une âme distinguée puisse monter. Si l'on ajoute à tout cela une grande finesse de sens que j'ai omise comme condition surérogatoire, je crois que j'ai rassemblé les éléments généraux les plus communs de l'homme sensible moderne, de ce que l'on pourrait appeler la *forme banale de l'originalité*. Voyons maintenant ce que deviendra cette individualité poussée à outrance par le haschisch. Suivons cette procession de l'imagination humaine jusque sous son dernier et plus splendide reposoir, jusqu'à la croyance de l'individu en sa propre divinité.

Si vous êtes une de ces âmes, votre amour inné de la forme et de la couleur trouvera tout d'abord une pâture immense dans les premiers développements de votre ivresse. Les couleurs prendront une énergie inaccoutumée et entreront dans le cerveau avec une intensité victorieuse. Délicates, médiocres, ou même mauvaises, les peintures des plafonds revêtiront une vie effrayante ; les plus grossiers papiers peints qui tapissent les murs des auberges se creuseront comme de splendides dioramas. Les nymphes aux chairs éclatantes vous regardent avec de grands yeux plus profonds et plus limpides que le ciel et l'eau ; les personnages de l'antiquité, affublés de leurs costumes sacerdotaux ou militaires, échangent avec vous par le simple regard de solennelles confidences. La sinuosité des lignes est un langage définitivement clair où vous lisez l'agitation et le désir des âmes. Cependant se développe cet état mystérieux et temporaire de l'esprit, où la profondeur de la vie, hérissée de ses problèmes multiples, se révèle tout entière dans le spectacle, si naturel et si trivial qu'il soit, qu'on a sous les yeux, — où le premier objet venu devient symbole parlant. Fourier et Swedenborg, l'un avec ses *analogies*, l'autre avec ses *correspondances*, se sont incarnés dans le végétal et l'animal qui tombent sous votre regard, et, au lieu d'enseigner par la voix, ils vous endoctrinent par la forme et par la couleur. L'intelligence de l'allégorie prend en vous des proportions à vous-même inconnues ; nous noterons, en passant, que l'allégorie, ce genre si *spirituel* que les peintres maladroits nous ont accoutumés à mépriser, mais qui est vraiment l'une des formes primitives et les plus naturelles de la poésie, reprend sa domination légitime dans l'intelligence illuminée par l'ivresse. Le haschisch s'étend alors sur toute la vie comme un vernis magique ; il la colore en solennité et en

éclaire toute la profondeur. Paysages dentelés,
horizons fuyants, perspectives de villes blanchies
par la lividité cadavéreuse de l'orage ou illumi-
nées par les ardeurs concentrées des soleils couchants, — profondeur de l'espace, allégorie de la
profondeur du temps, — la danse, le geste ou la
déclamation des comédiens, si vous vous êtes jeté
dans un théâtre, — la première phrase venue, si
vos yeux tombent sur un livre, — tout enfin, l'universalité des êtres se dresse devant vous avec une
gloire nouvelle non soupçonnée jusqu'alors. La
grammaire, l'aride grammaire elle-même,
devient quelque chose comme une sorcellerie
évocatoire; les mots ressuscitent revêtus de chair
et d'os, le substantif, dans sa majesté substan-
tielle, l'adjectif, vêtement transparent qui l'habille
et le colore comme un glacis, et le verbe, ange du
mouvement, qui donne le branle à la phrase. La
musique, autre langue chère aux paresseux ou
aux esprits profonds qui cherchent le délasse-
ment dans la variété du travail, vous parle de
vous-même et vous raconte le poëme de votre
vie : elle s'incorpore à vous, et vous vous fondez
en elle. Elle parle votre passion, non pas d'une
manière vague et indéfinie, comme elle fait dans
vos soirées nonchalantes, un jour d'opéra, mais
d'une manière circonstanciée, positive, chaque
mouvement du rythme marquant un mouvement
connu de votre âme, chaque note se transformant
en mot, et le poëme entier entrant dans votre cerveau comme un dictionnaire doué de vie.

Il ne faut pas croire que tous ces phénomènes
se produisent dans l'esprit pêle-mêle, avec
l'accent criard de la réalité et le désordre de la vie
extérieure. L'œil intérieur transforme tout et
donne à chaque chose le complément de beauté
qui lui manque pour qu'elle soit vraiment digne

de plaire. C'est aussi à cette phase essentiellement voluptueuse et sensuelle qu'il faut rapporter l'amour des eaux limpides, courantes ou stagnantes, qui se développe si étonnamment dans
l'ivresse cérébrale de quelques artistes. Les
miroirs deviennent un prétexte à cette rêverie qui
ressemble à une soif spirituelle, conjointe à la
soif physique qui dessèche le gosier, et dont j'ai
parlé précédemment; les eaux fuyantes, les *jeux*
d'eau, les cascades harmonieuses, l'immensité
bleue de la mer, roulent, chantent, dorment avec
un charme inexprimable. L'eau s'étale comme
une véritable enchanteresse, et, bien que je ne
croie pas beaucoup aux folies furieuses causées
par le haschisch, je n'affirmerais pas que la
contemplation d'un gouffre limpide fût tout à fait
sans danger pour un esprit amoureux de l'espace
et du cristal, et que la vieille fable de l'Ondine ne
pût devenir pour l'enthousiaste une tragique réalité.

Je crois avoir suffisamment parlé de l'accroissement monstrueux du temps et de l'espace, deux
idées toujours connexes, mais que l'esprit
affronte alors sans tristesse et sans peur. Il
regarde avec un certain délice mélancolique à
travers les années profondes, et s'enfonce audacieusement dans d'infinies perspectives. On a
bien deviné, je présume, que cet accroissement
anormal et tyrannique s'applique également à
tous les sentiments et à toutes les idées : ainsi à la
bienveillance; j'en ai donné, je crois, un assez bel
échantillon; ainsi à l'idée de beauté; ainsi à
l'amour. L'idée de beauté doit naturellement
s'emparer d'une place vaste dans un tempérament spirituel tel que je l'ai supposé. L'harmonie,
le balancement des lignes, l'eurythmie dans les
mouvements, apparaissent au rêveur comme des

nécessités, comme des *devoirs*, non-seulement pour tous les êtres de la création, mais pour lui-même, le rêveur, qui se trouve, à cette période de la crise, doué d'une merveilleuse aptitude pour comprendre le rythme immortel et universel. Et si notre fanatique manque de beauté personnelle, ne croyez pas qu'il souffre longtemps de l'aveu auquel il est contraint, ni qu'il se regarde comme une note discordante dans le monde d'harmonie et de beauté improvisé par son imagination. Les sophismes du haschisch sont nombreux et admirables, tendant généralement à l'optimisme, et l'un des principaux, le plus efficace, est celui qui transforme le désir en réalité. Il en est de même sans doute dans maint cas de la vie ordinaire, mais ici avec combien plus d'ardeur et de subtilité! D'ailleurs, comment un être si bien doué pour comprendre l'harmonie, une sorte de prêtre du Beau, pourrait-il faire une exception et une tache dans sa propre théorie? La beauté morale et sa puissance, la grâce et ses séductions, l'éloquence et ses prouesses, toutes ces idées se présentent bientôt comme des correctifs d'une laideur indiscrète, puis comme des consolateurs, enfin comme des adulateurs parfaits d'un sceptre imaginaire.

Quant à l'amour, j'ai entendu bien des personnes animées d'une curiosité de lycéen, chercher à se renseigner auprès de celles à qui était familier l'usage du haschisch. Que peut être cette ivresse de l'amour, déjà si puissante à son état naturel, quand elle est enfermée dans l'autre ivresse, comme un soleil dans un soleil? Telle est la question qui se dressera dans une foule d'esprits que j'appellerai les badauds du monde intellectuel. Pour répondre à un sous-entendu déshonnête, à cette partie de la question qui n'ose

pas se produire, je renverrai le lecteur à Pline, qui
a parlé quelque part des propriétés du chanvre de
façon à dissiper sur ce sujet bien des illusions. On
sait, en outre, que l'atonie est le résultat le plus
ordinaire de l'abus que les hommes font de leurs
nerfs et des substances propres à les exciter. Or,
comme il ne s'agit pas ici de puissance affective,
mais d'émotion ou de susceptibilité, je prierai
simplement le lecteur de considérer que l'imagination d'un homme nerveux, enivré de haschisch,
est poussée jusqu'à un degré prodigieux, aussi
peu déterminable que la force extrême possible
du vent dans un ouragan, et ses sens subtilisés à
un point presque aussi difficile à définir. Il est
donc permis de croire qu'une caresse légère, la
plus innocente de toutes, une poignée de main,
par exemple, peut avoir une valeur centuplée par
l'état actuel de l'âme et des sens et les conduire
peut-être, et très-rapidement, jusqu'à cette syn-
cope qui est considérée par les vulgaires mortels
comme le *summum* du bonheur. Mais que le haschisch réveille, dans une imagination souvent
occupée des choses de l'amour, des souvenirs
tendres, auxquels la douleur et le malheur
donnent même un lustre nouveau, cela est indu-
bitable. Il n'est pas moins certain qu'une forte
dose de sensualité se mêle à ces agitations de
l'esprit ; et d'ailleurs il n'est pas inutile de remarquer, ce qui suffirait à constater sur ce point
l'immoralité du haschisch, qu'une secte d'Ismaïlites (c'est des Ismaïlites que sont issus les Assassins) égarait ses adorations bien au-delà de
l'impartial Lingam, c'est-à-dire jusqu'au culte
absolu et exclusif de la moitié féminine du symbole. Il n'y aurait rien que de naturel, chaque
homme étant la représentation de l'histoire, de
voir une hérésie obscène, une religion mons-

trueuse se produire dans un esprit qui s'est lâchement livré à la merci d'une drogue infernale, et
qui sourit à la dilapidation de ses propres
facultés.

Puisque nous avons vu se manifester dans
l'ivresse du haschisch une bienveillance singulière appliquée même aux inconnus, une espèce
de philanthropie plutôt faite de pitié que d'amour
(c'est ici que se montre le premier germe de
l'esprit satanique qui se développera d'une
manière extraordinaire), mais qui va jusqu'à la
crainte d'affliger qui que ce soit, on devine ce que
peut devenir la sentimentalité localisée, appliquée à une personne chérie, jouant ou ayant joué
un rôle important dans la vie morale du malade.
Le culte, l'adoration, la prière, les rêves de bonheur se projettent et s'élancent avec l'énergie
ambitieuse et l'éclat d'un feu d'artifice; comme la
poudre et les matières colorantes du feu, ils
éblouissent et s'évanouissent dans les ténèbres. Il
n'est sorte de combinaison sentimentale à
laquelle ne puisse se prêter le souple amour d'un
esclave du haschisch. Le goût de la protection, un
sentiment de paternité ardente et dévouée
peuvent se mêler à une sensualité coupable que
le haschisch saura toujours excuser et absoudre.
Il va plus loin encore. Je suppose des fautes
commises ayant laissé dans l'âme des traces
amères, un mari ou un amant ne contemplant
qu'avec tristesse (dans son état normal) un passé
nuancé d'orages; ces amertumes peuvent alors se
changer en douceurs; le besoin de pardon rend
l'imagination plus habile et plus suppliante, et le
remords lui-même, dans ce drame diabolique qui
ne s'exprime que par un long monologue, peut
agir comme excitant et réchauffer puissamment
l'enthousiasme du cœur. Oui, le remords!

Avais-je tort de dire que le haschisch apparaissait, à un esprit vraiment philosophique, comme
un parfait instrument satanique? Le remords,
singulier ingrédient du plaisir, est bientôt noyé
dans la délicieuse contemplation du remords,
dans une espèce d'analyse voluptueuse; et cette
analyse est si rapide, que l'homme, ce diable
naturel, pour parler comme les Swedenborgiens,
ne s'aperçoit pas combien elle est involontaire, et
combien, de seconde en seconde, il se rapproche
de la perfection diabolique. Il *admire* son
remords et il se glorifie, pendant qu'il est en train
de perdre sa liberté.

Voilà donc mon homme supposé, l'esprit de
mon choix, arrivé à ce degré de joie et de sérénité
où il est *contraint* de s'admirer lui-même. Toute
contradiction s'efface, tous les problèmes philosophiques deviennent limpides, ou du moins
paraissent tels. Tout est matière à jouissance. La
plénitude de sa vie actuelle lui inspire un orgueil
démesuré. Une voix parle en lui (hélas! c'est la
sienne) qui lui dit : « Tu as maintenant le droit de
te considérer comme supérieur à tous les
hommes; nul ne connaît et ne pourrait
comprendre tout ce que tu penses et tout ce que
tu sens; ils seraient même incapables d'apprécier
la bienveillance qu'ils t'inspirent. Tu es un roi que
les passants méconnaissent, et qui vit dans la
solitude de sa conviction : mais que t'importe?
Ne possèdes-tu pas ce mépris souverain qui rend
l'âme si bonne? »

Cependant nous pouvons supposer que de
temps à autre un souvenir mordant traverse et
corrompe ce bonheur. Une suggestion fournie
par l'extérieur peut ranimer un passé désagréable
à contempler. De combien d'actions sottes ou
viles le passé n'est-il pas rempli, qui sont véri-

tablement indignes de ce roi de la pensée et qui
en souillent la dignité idéale? Croyez que
l'homme au haschisch affrontera courageuse-
ment ces fantômes pleins de reproches, et même
qu'il saura tirer de ces hideux souvenirs de nouveaux éléments de plaisir et d'orgueil. Telle sera
l'évolution de son raisonnement: la première
sensation de douleur passée il analysera curieusement cette action ou ce sentiment dont le souvenir a troublé sa glorification actuelle, les motifs
qui le faisaient agir alors, les circonstances dont
il était environné, et s'il ne trouve pas dans ces
circonstances des raisons suffisantes, sinon pour
absoudre, au moins pour atténuer son péché,
n'imaginez pas qu'il se sente vaincu! J'assiste à
son raisonnement comme au jeu d'un mécanisme
sous une vitre transparente: « Cette action ridicule, lâche ou vile, dont le souvenir m'a un
moment agité, est en complète contradiction
avec ma vraie nature, ma nature actuelle, et
l'énergie même avec laquelle je la condamne, le
soin inquisitorial avec lequel je l'analyse et je la
juge, prouvent mes hautes et divines aptitudes
pour la vertu. Combien trouverait-on dans le
monde d'hommes aussi habiles pour se juger,
aussi sévères pour se condamner? » Et non-seulement il se condamne, mais il se glorifie. L'horrible souvenir ainsi absorbé dans la contemplation d'une vertu idéale, d'une charité idéale, d'un
génie idéal, il se livre candidement à sa triom-
phante orgie spirituelle. Nous avons vu que,
contrefaisant d'une manière sacrilège le sacre-
ment de la pénitence, à la fois pénitent et confes-
seur, il s'était donné une facile absolution, ou, pis
encore, qu'il avait tiré de sa condamnation une
nouvelle pâture pour son orgueil. Maintenant, de
la contemplation de ses rêves et de ses projets de

vertu, il conclut à son aptitude pratique à la vertu ; l'énergie amoureuse avec laquelle il embrasse ce fantôme de vertu lui paraît une preuve suffisante, péremptoire, de l'énergie virile nécessaire pour l'accomplissement de son idéal. Il confond complètement le rêve avec l'action, et son imagination s'échauffant de plus en plus devant le spectacle enchanteur de sa propre nature corrigée et idéalisée, substituant cette image fascinatrice de lui-même à son réel individu, si pauvre en volonté, si riche en vanité, il finit par décréter son apothéose en ces termes nets et simples, qui contiennent pour lui tout un monde d'abominables jouissances : « *Je suis le plus vertueux de tous les hommes !* »

Cela ne vous fait-il pas souvenir de Jean-Jacques, qui, lui aussi, après s'être confessé à l'univers, non sans une certaine volupté, a osé pousser le même cri de triomphe (ou du moins la différence est bien petite) avec la même sincérité et la même conviction ? L'enthousiasme avec lequel il admirait la vertu, l'attendrissement nerveux qui remplissait ses yeux de larmes, à la vue d'une belle action ou à la pensée de toutes les belles actions qu'il aurait voulu accomplir, suffisaient pour lui donner une idée superlative de sa valeur morale. Jean-Jacques s'était enivré sans haschisch.

Suivrai-je plus loin l'analyse de cette victorieuse monomanie ? Expliquerai-je comment, sous l'empire du poison, mon homme se fait bientôt centre de l'univers ? comment il devient l'expression vivante et outrée du proverbe qui dit que la passion rapporte tout à elle ? Il croit à sa vertu et à son génie ; ne devine-t-on pas la fin ? Tous les objets environnants sont autant de suggestions qui agitent en lui un monde de pensées,

toutes plus colorées, plus vivantes, plus subtiles
que jamais, et revêtues d'un vernis magique.
« Ces villes magnifiques, se dit-il, où les bâtiments superbes sont échelonnés comme dans les
décors, — ces beaux navires balancés par les
eaux de la rade dans un désœuvrement nostal-
gique, et qui ont l'air de traduire notre pensée :
Quand partons-nous pour le bonheur ? — ces
musées qui regorgent de belles formes et de couleurs enivrantes, — ces bibliothèques où sont
accumulés les travaux de la Science et les rêves
de la Muse, — ces instruments rassemblés qui
parlent avec une seule voix, — ces femmes
enchanteresses, plus charmantes encore par la
science de la parure et l'économie du regard, —
toutes ces choses ont été créées *pour moi, pour
moi, pour moi !* Pour moi, l'humanité a travaillé,
a été martyrisée, immolée, — pour servir de
pâture, de *pabulum*, à mon implacable appétit
d'émotion, de connaissance et de beauté ! » Je
saute et j'abrège. Personne ne s'étonnera qu'une
pensée finale, suprême, jaillisse du cerveau du
rêveur : « *Je suis devenu Dieu !* » qu'un cri sauvage, ardent, s'élance de sa poitrine avec une
énergie telle, une telle puissance de projection,
que, si les volontés et les croyances d'un homme
ivre avaient une vertu efficace, ce cri culbuterait
les anges disséminés dans les chemins du ciel :
« Je suis un Dieu ! » Mais bientôt cet ouragan
d'orgueil se transforme en une température de
béatitude calme, muette, reposée, et l'universalité
des êtres se présente colorée et comme illuminée
par une aurore sulfureuse. Si par hasard un
vague souvenir se glisse dans l'âme de ce déplorable bienheureux : N'y aurait-il pas un autre
Dieu ? croyez qu'il se redressera devant *celui-là*,
qu'il discutera ses volontés et qu'il l'affrontera

sans terreur. Quel est le philosophe français qui, pour railler les doctrines allemandes modernes, disait : « Je suis un dieu qui i mal dîné ? » Cette ironie ne mordrait pas sur un esprit enlevé par le haschisch ; il répondrait tranquillement : « Il est possible que j'aie mal dîné, mais je suis un Dieu. »

V

MORALE

Mais le lendemain! le terrible lendemain! tous
les organes relâchés, fatigués, les nerfs détendus,
les titillantes envies de pleurer, l'impossibilité de
s'appliquer à un travail suivi, vous enseignent
cruellement que vous avez joué un jeu défendu.
La hideuse nature, dépouillée de son illumination
de la veille, ressemble aux mélancoliques débris
d'une fête. La volonté surtout est attaquée, de
toutes les facultés la plus précieuse. On dit, et
c'est presque vrai, que cette substance ne cause
aucun mal physique, aucun mal grave, du moins.
Mais peut-on affirmer qu'un homme incapable
d'action, et propre seulement aux rêves, se porte-
rait vraiment bien, quand même tous ses
membres seraient en bon état? Or, nous connais-
sons assez la nature humaine pour savoir qu'un
homme qui peut, avec une cuillerée de confiture,
se procurer instantanément tous les biens du ciel
et de la terre, n'en gagnera jamais la millième partie par le travail. Se figure-t-on un État dont tous
les citoyens s'enivreraient de haschisch? Quels
citoyens! quels guerriers! quels législateurs!
Même en Orient, où l'usage en est si répandu, il y
a des gouvernements qui ont compris la nécessité
de le proscrire. En effet, il est défendu à l'homme,

sous peine de déchéance et de mort intellectuelle,
de déranger les conditions primordiales de son
existence et de rompre l'équilibre de ses facultés
avec les milieux où elles sont destinées à se mou-
voir, en un mot, de déranger son destin pour y
substituer une fatalité d'un nouveau genre. Sou-
venons-nous de Melmoth, cet admirable
emblème. Son épouvantable souffrance gît dans
la disproportion entre ses merveilleuses facultés,
acquises instantanément par un pacte satanique,
et le milieu où, comme créature de Dieu, il est
condamné à vivre. Et aucun de ceux qu'il veut
séduire ne consent à lui acheter, aux mêmes
conditions, son terrible privilège. En effet, tout
homme qui n'accepte pas les conditions de la vie,
vend son âme. Il est facile de saisir le rapport qui
existe entre les créations sataniques des poëtes et
les créatures qui se sont vouées aux excitants.
L'homme a voulu être Dieu, et bientôt le voilà, en
vertu d'une loi morale incontrôlable, tombé plus
bas que sa nature réelle. C'est une âme qui se
vend en détail.

Balzac pensait sans doute qu'il n'est pas pour
l'homme de plus grande honte ni de plus vive
souffrance que l'abdication de sa volonté. Je l'ai
vu une fois, dans une réunion où il était question
des effets prodigieux du haschisch. Il écoutait et
questionnait avec une attention et une vivacité
amusantes. Les personnes qui l'ont connu
devinent qu'il devait être intéressé. Mais l'idée de
penser malgré lui-même le choquait vivement. On
lui présenta du dawamesk; il l'examina, le flaira
et le rendit sans y toucher. La lutte entre sa curiosité presque enfantine et sa répugnance pour
l'abdication se trahissait sur son visage expressif
d'une manière frappante. L'amour de la dignité
l'emporta. En effet, il est difficile de se figurer le

théoricien de la *volonté*, ce jumeau spirituel de
Louis Lambert, consentant à perdre une parcelle
de cette précieuse *substance*.

Malgré les admirables services qu'ont rendus
l'éther et le chloroforme, il me semble qu'au point
de vue de la philosophie spiritualiste la même flé-
trissure morale s'applique à toutes les inventions
modernes qui tendent à diminuer la liberté
humaine et l'indispensable douleur. Ce n'est pas
sans une certaine admiration que j'entendis une
fois le paradoxe d'un officier qui me racontait
l'opération cruelle pratiquée sur un général français à El-Aghouat, et dont celui-ci mourut malgré
le chloro-forme. Ce général était un homme très-
brave, et même quelque chose de plus, une de ces
âmes à qui s'applique naturellement le terme :
chevaleresque. « Ce n'était pas, me disait-il, du
chloroforme qu'il lui fallait, mais les regards de
toute l'armée et la musique des régiments. Ainsi
peut-être il eût été sauvé ! » Le chirurgien n'était
pas de l'avis de cet officier ; mais l'aumônier
aurait sans doute admiré ces sentiments.

Il est vraiment superflu, après toutes ces considérations, d'insister sur le caractère immoral du
haschisch. Que je le compare au suicide, à un suicide lent, à une arme toujours sanglante et toujours aiguisée, aucun esprit raisonnable n'y trouvera à redire. Que je l'assimile à la sorcellerie, à la
magie, qui veulent, en opérant sur la matière, et
par des arcanes dont rien ne prouve la fausseté
non plus que l'efficacité, conquérir une domination interdite à l'homme ou permise seulement à
celui qui en est jugé digne, aucune âme philosophique ne blâmera cette comparaison. Si
l'Église condamne la magie et la sorcellerie, c'est
qu'elles militent contre les intentions de Dieu,
qu'elles suppriment le travail du temps et veulent

rendre superflues les conditions de pureté et de moralité ; et qu'elle, l'Église, ne considère comme légitimes, comme vrais, que les trésors gagnés par la bonne intention assidue. Nous appelons escroc le joueur qui a trouvé le moyen de jouer à coup sûr ; comment nommerons-nous l'homme qui veut acheter, avec un peu de monnaie, le bonheur et le génie ? C'est l'infaillibilité même du moyen qui en constitue l'immoralité, comme l'infaillibilité supposée de la magie lui impose son stigmate infernal. Ajouterai-je que le haschisch, comme toutes les joies solitaires, rend l'individu inutile aux hommes et la société superflue pour l'individu, le poussant à s'admirer sans cesse lui-même et le précipitant jour à jour vers le gouffre lumineux où il admire sa face de Narcisse ?

Si encore, au prix de sa dignité, de son honnêteté et de son libre arbitre, l'homme pouvait tirer du haschisch de grands bénéfices spirituels, en faire une espèce de machine à penser, un instrument fécond ? C'est une question que j'ai souvent entendu poser, et j'y réponds. D'abord, comme je l'ai longuement expliqué, le haschisch ne révèle à l'individu rien que l'individu lui-même. Il est vrai que cet individu est pour ainsi dire cubé et poussé à l'extrême, et comme il est également certain que la mémoire des impressions survit à l'orgie, l'espérance de ces *utilitaires* ne paraît pas au premier aspect tout à fait dénuée de raison. Mais je les prierai d'observer que les pensées, dont ils comptent tirer un si grand parti, ne sont pas réellement aussi belles qu'elles le paraissent sous leur travestissement momentané et recouvertes d'oripeaux magiques. Elles tiennent de la terre plutôt que du ciel, et doivent une grande partie de leur beauté à l'agitation nerveuse, à l'avidité avec laquelle l'esprit se jette sur elles. Ensuite cette espérance est un cercle vicieux : admettons un instant que le haschisch donne, ou du moins augmente le génie, ils oublient qu'il est de la nature du haschisch de diminuer la volonté, et qu'ainsi il accorde d'un côté ce qu'il retire de l'autre, c'est-à-dire l'imagination sans la faculté d'en profiter. Enfin il faut songer, en supposant un homme assez adroit et assez vigoureux pour se soustraire à cette alternative, à un autre danger, fatal, terrible, qui est celui de toutes les accoutumances. Toutes se transforment bientôt en nécessités. Celui qui aura recours à un poison *pour* penser ne pourra bientôt plus penser *sans* poison. Se figure-t-on le sort affreux d'un homme dont l'imagination paralysée ne saurait plus fonctionner sans le secours du haschisch ou de l'opium ?

Dans les études philosophiques, l'esprit humain, imitant la marche des astres, doit suivre une courbe qui le ramène à son point de départ. Conclure, c'est fermer un cercle. Au commencement j'ai parlé de cet état merveilleux, où l'esprit de l'homme se trouvait quelquefois jeté comme par une grâce spéciale ; j'ai dit qu'aspirant sans cesse à réchauffer ses espérances et à s'élever vers l'infini, il montrait, dans tous les pays et dans tous les temps, un goût frénétique pour toutes les substances, même dangereuses, qui, en exaltant sa personnalité, pouvaient susciter un instant à ses yeux ce paradis d'occasion, objet de tous ses désirs, et enfin que cet esprit hasardeux, poussant, sans le savoir, jusqu'à l'enfer, témoignait ainsi de sa grandeur originelle. Mais l'homme n'est pas si abandonné, si privé de moyens honnêtes pour gagner le ciel, qu'il soit obligé d'invoquer la pharmacie et la sorcellerie ; il n'a pas besoin de vendre son âme pour payer les caresses enivrantes et l'amitié des houris. Qu'est-ce qu'un paradis qu'on achète au prix de son salut éternel ? Je me figure un homme (dirai-je un brahmane, un poëte, ou un philosophe chrétien ?) placé sur l'Olympe ardu de la spiritualité ; autour de lui les Muses de Raphaël ou de Mantegna, pour le consoler de ses longs jeûnes et de ses prières assidues, combinent les danses les plus nobles, le regardent avec leurs plus doux yeux et leurs sourires les plus éclatants ; le divin Apollon, ce maître en tout savoir (celui de Francavilla, d'Albert Dürer, de Goltzius ou de tout autre, qu'importe ? N'y a-t-il pas un Apollon, pour tout homme qui le mérite ?), caresse de son archet ses cordes les plus vibrantes. Au-dessous de lui, au pied de la montagne, dans les ronces et dans la boue, la troupe des humains, la bande des ilotes, simule des grimaces de la jouissance et pousse des hurlements que lui arrache la morsure du poison ; et le poëte attristé se dit : « Ces infortunés qui n'ont ni jeûné, ni prié, et qui ont refusé la rédemption par le travail, demandent à la noire magie les moyens de s'élever, d'un seul coup, à l'existence surnaturelle. La magie les dupe et elle allume pour eux un faux bonheur et une fausse lumière ; tandis que nous, poëtes et philosophes, nous avons régénéré notre âme par le travail successif et la contemplation ; par l'exercice assidu de la volonté et la noblesse permanente de l'intention, nous avons créé à notre usage un jardin de vraie beauté. Confiants dans la parole qui dit que la foi transporte les montagnes, nous avons accompli le seul miracle dont Dieu nous ait octroyé la licence ! »

UN MANGEUR D'OPIUM

I

PRÉCAUTIONS ORATOIRES

« O juste, subtil et puissant opium ! Toi qui, au cœur du pauvre comme du riche, pour les blessures qui ne se cicatriseront jamais et pour les angoisses qui induisent l'esprit en rébellion, apportes un baume adoucissant ; éloquent opium ! toi qui, par ta puissante rhétorique, désarmes les résolutions de la rage, et qui, pour une nuit, rends à l'homme coupable les espérances de sa jeunesse et ses anciennes mains pures de sang ; qui, à l'homme orgueilleux, donnes un oubli passager

Des torts non redressés et des insultes non
[vengées ;

qui cites les faux témoins au tribunal des rêves, pour le triomphe de l'innocence immolée ; qui confonds le parjure ; qui annules les sentences des juges iniques ; — tu bâtis sur le sein des ténèbres, avec les matériaux imaginaires du cerveau, avec un art plus profond que celui de Phidias et de Praxitèle, des cités et des temples qui dépassent en splendeur Babylone et Hékatompylos ; et du chaos d'un sommeil plein de songes tu évoques à la lumière du soleil les visages des beautés depuis

longtemps ensevelies, et les physionomies familières et bénies, nettoyées des outrages de la
tombe. Toi seul, tu donnes à l'homme ces trésors,
et tu possèdes les clefs du paradis, ô juste, subtil
et puissant opium ! » — Mais, avant que l'auteur
ait trouvé l'audace de pousser, en l'honneur de
son cher opium, ce cri violent comme la
reconnaissance de l'amour, que de ruses, que de
précautions oratoires ! D'abord, c'est l'allégation
éternelle de ceux qui ont à faire des aveux
compromettants, presque décidés cependant à s'y
complaire :

« Grâce à l'application que j'y ai mise, j'ai la
confiance que ces mémoires ne seront pas simplement intéressants, mais aussi, et à un degré consi-
dérable, utiles et instructifs. C'est positivement
dans cette espérance que je les ai rédigés par
écrit, et ce sera mon excuse pour avoir rompu
cette délicate et honorable réserve, qui empêche
la plupart d'entre nous de faire une exhibition
publique de nos propres erreurs et infirmités.
Rien, il est vrai, n'est plus propre à révolter le sens
anglais, que le spectacle d'un être humain, impo-
sant à notre attention ses cicatrices et ses ulcères
moraux, et arrachant cette pudique draperie dont
le temps ou l'indulgence pour la fragilité humaine
avait consenti à les revêtir. »

En effet, ajoute-t-il, généralement le crime et la
misère reculent loin du regard public, et, même
dans le cimetière, ils s'écartent de la population
commune, comme s'ils abdiquaient humblement
tout droit à la camaraderie avec la grande famille
humaine. Mais, dans le cas du *Mangeur d'opium*,
il n'y a pas crime, il n'y a que faiblesse, et encore
faiblesse si facile à excuser ! ainsi qu'il le prouvera
dans une biographie préliminaire ; ensuite le
bénéfice résultant pour autrui des notes d'une

expérience achetée à un prix si lourd peut compenser largement la violence faite à la pudeur morale et créer une exception légitime.

Dans cette adresse au lecteur nous trouvons quelques renseignements sur le peuple mystérieux des mangeurs d'opium, cette nation contemplative perdue au sein de la nation active. Ils sont nombreux, et plus qu'on ne le croit. Ce sont des professeurs, ce sont des philosophes, un lord placé dans la plus haute situation, un sous-secrétaire d'État ; si des cas aussi nombreux, pris dans la haute classe de la société, sont venus, sans avoir été cherchés, à la connaissance d'un seul individu, quelle statistique effroyable ne pourrait-on pas établir sur la population totale de l'Angleterre ! Trois pharmaciens de Londres, dans des quartiers pourtant reculés, affirment (en 1821) que le nombre des *amateurs* d'opium est immense, et que la difficulté de distinguer les personnes qui en ont fait une sorte d'hygiène de celles qui veulent s'en procurer dans un but coupable est pour eux une source d'embarras quotidiens. Mais l'opium est descendu visiter les limbes de la société, et à Manchester, dans l'après-midi du samedi, les comptoirs des droguistes sont couverts de pilules préparées en prévision des demandes du soir. Pour les ouvriers des manufactures l'opium est une volupté économique ; car l'abaissement des salaires peut faire de l'ale et des spiritueux une orgie coûteuse. Mais ne croyez pas, quand le salaire remontera, que l'ouvrier anglais abandonne l'opium pour retourner aux grossières joies de l'alcool. La fascination est opérée ; la volonté est domptée ; le souvenir de la jouissance exercera son éternelle tyrannie.

Si des natures grossières et abêties par un travail journalier et sans charme peuvent trouver dans l'opium de vastes consolations, quel en sera donc l'effet sur un esprit subtil et lettré, sur une imagination ardente et cultivée, surtout si elle a été prématurément labourée par la fertilisante douleur, — sur un cerveau marqué par la rêverie fatale, *touched with pensiveness*, pour me servir de l'étonnante expression de mon auteur ? Tel est le sujet du merveilleux livre que je déroulerai comme une tapisserie fantastique sous les yeux du lecteur. J'abrégerai sans doute beaucoup ; De Quincey est essentiellement digressif ; l'expression *humourist* peut lui être appliquée plus convenablement qu'à tout autre ; il compare, en un endroit, sa pensée à un thyrse, simple bâton qui tire toute sa physionomie et tout son charme du feuillage compliqué qui l'enveloppe. Pour que le lecteur ne perde rien des tableaux émouvants qui composent la substance de son volume, l'espace dont je dispose étant restreint, je serai obligé, à mon grand regret, de supprimer bien des hors-d'œuvre très-amusants, bien des dissertations exquises, qui n'ont pas directement trait à l'opium, mais ont simplement pour but d'*illustrer* le caractère du mangeur d'opium. Cependant le livre est assez vigoureux pour se faire deviner, même sous cette enveloppe succincte, même à l'état de simple extrait.

L'ouvrage (*Confessions of an English opium-eater, being an extract from the life of a scholar*) est divisé en deux parties : l'une, *Confessions* ; l'autre, son complément, *Suspiria de profundis*. Chacune se partage en différentes subdivisions, dont j'omettrai quelques-unes, qui sont comme des corollaires ou des appendices. La division de la première partie est parfaitement simple et logique, naissant du sujet lui-même : *Confessions préliminaires ; Voluptés de l'opium ; Tortures de*

l'opium. Les *Confessions préliminaires*, sur lesquelles j'ai à m'étendre un peu longuement, ont
un but facile à deviner. Il faut que le personnage
soit connu, qu'il se fasse aimer, apprécier du lecteur. L'auteur, qui a entrepris d'intéresser vigoureusement l'attention avec un sujet en apparence
aussi monotone que la description d'une ivresse,
tient vivement à montrer jusqu'à quel point il est
excusable ; il veut créer pour sa personne une
sympathie dont profitera tout l'ouvrage. Enfin, et
ceci est très important, le récit de certains accidents, vulgaires peut-être en eux-mêmes, mais
graves et sérieux en raison de la sensibilité de
celui qui les a supportés, devient, pour ainsi dire,
la clef des sensations et des visions extraordinaires qui assiégeront plus tard son cerveau.
Maint vieillard, penché sur une table de cabaret,
se revoit lui-même vivant dans un entourage disparu ; son ivresse est faite de sa jeunesse éva-
nouie. De même, les événements racontés dans
les *Confessions* usurperont une part importante
dans les visions postérieures. Ils ressusciteront
comme ces rêves qui ne sont que les souvenirs
déformés ou transfigurés des obsessions d'une
journée laborieuse.

II

CONFESSIONS PRÉLIMINAIRES

Non, ce ne fut pas pour la recherche d'une volupté coupable et paresseuse qu'il commença à user de l'opium, mais simplement pour adoucir les tortures d'estomac nées d'une habitude cruelle de la faim. Ces angoisses de la famine datent de sa première jeunesse, et c'est à l'âge de vingt-huit ans que le mal et le remède font leur première apparition dans sa vie, après une période assez longue de bonheur, de sécurité et de bien-être. Dans quelles circonstances se produisirent ces angoisses fatales, c'est ce qu'on va voir.

Le futur *mangeur d'opium* avait sept ans quand son père mourut, le laissant à des tuteurs qui lui firent faire sa première éducation dans plusieurs écoles. De très-bonne heure il se distingua par ses aptitudes littéraires, particulièrement par une connaissance prématurée de la langue grecque. À treize ans, il écrivait en grec ; à quinze, il pouvait non-seulement composer des vers grecs en mètres lyriques, mais même converser en grec abondamment et sans embarras, faculté qu'il devait à une habitude journalière d'improviser en grec une traduction des journaux anglais. La nécessité de trouver dans sa mémoire et son imagination une foule de périphrases pour exprimer par une langue morte des idées et des images absolument modernes, avait créé pour lui un dictionnaire toujours prêt, bien autrement complexe et étendu que celui qui résulte de la vulgaire patience des thèmes purement littéraires. « Ce garçon-là, disait un de ses maîtres en le désignant à un étranger, pourrait haranguer une foule athénienne beaucoup mieux que vous ou moi une foule anglaise. » Malheureusement notre helléniste précoce fut enlevé à cet excellent maître ; et, après avoir passé par les mains d'un grossier pédagogue tremblant toujours que l'enfant ne se fît le redresseur de son ignorance, il fut remis aux soins d'un bon et solide professeur, qui, lui aussi, péchait par le manque d'élégance et ne rappelait en rien l'ardente et étincelante érudition du premier. Mauvaise chose, qu'un enfant puisse juger ses maîtres et se placer au-dessus d'eux. On traduisait Sophocle, et, avant l'ouverture de la classe, le zélé professeur, l'*archicidascalus*, se préparait avec une grammaire et un lexique à la lecture des chœurs, purgeant à l'avance sa leçon de toutes les hésitations et de toutes les difficultés. Cependant le jeune homme (il touchait à ses dix-sept ans) brûlait d'aller à l'Université, et c'était en vain qu'il tourmentait ses tuteurs à ce sujet. L'un d'eux, homme bon et raisonnable, vivait fort loin. Sur les trois autres, deux avaient remis toute leur autorité entre les mains du quatrième ; et celui-là nous est dépeint comme le mentor le plus entêté du monde et le plus amoureux de sa propre volonté. Notre aventureux jeune homme prend un grand parti ; il fuira l'école. Il écrit à une charmante et excellente femme, une amie de famille sans doute, qui l'a tenu enfant sur ses genoux, pour lui demander cinq guinées. Une réponse pleine de grâce maternelle arrive bientôt, avec le

double de la somme demandée. Sa bourse d'écolier contenait encore deux guinées, et douze guinées représentent une fortune infinie pour un
enfant qui ne connaît pas les nécessités journa-
lières de la vie. Il ne s'agit plus que d'exécuter la
fuite. Le morceau suivant est un de ceux que je ne
peux pas me résigner à abréger. Il est bon d'ailleurs que le lecteur puisse de temps en temps goû-
ter par lui-même la manière pénétrante et *féminine* de l'auteur.

« Le docteur Johnson fait une observation fort
juste (et pleine de sentiment, ce que malheureusement on ne peut pas dire de toutes ses observations), c'est que nous ne faisons jamais sciem-
ment pour la dernière fois, sans une tristesse au
cœur, ce que nous avons depuis longtemps accou-
tumance de faire. Je sentis profondément cette
vérité, quand j'en vins à quitter un lieu que je
n'aimais pas et où je n'avais pas été heureux. Le
soir qui précéda le jour où je devais le fuir pour
jamais, j'entendis avec tristesse résonner dans la
vieille et haute salle de la classe la prière du soir ;
car je l'entendais pour la dernière fois ; et la nuit
venue, quand on fit l'appel, mon nom ayant été,
comme d'habitude, appelé le premier, je m'avan-
çai, et, passant devant le principal qui était
présent, je le saluai ; je le regardais curieusement
au visage, et je pensais en moi-même : Il est vieux
et infirme, et je ne le verrai plus en ce monde !
J'avais raison, car je ne l'ai pas revu et je ne le
reverrai jamais. Il me regarda complaisamment,
avec un bon sourire, me rendit mon salut, ou plutôt mon adieu, et nous nous quittâmes, sans qu'il
s'en doutât, pour toujours. Je ne pouvais pas
éprouver un profond respect pour son intelligence ; mais il s'était toujours montré bon pour
moi ; il m'avait accordé maintes faveurs, et je

souffrais à la pensée de la mortification que j'allais lui infliger.

« Le matin arriva, où je devais me lancer sur la mer du monde, matin d'où toute ma vie subséquente a pris, en grande partie, sa couleur. Je logeais dans la maison du principal, et j'avais obtenu, dès mon arrivée, la faveur d'une chambre particulière, qui me servait également de chambre à coucher et de cabinet de travail. À trois heures et demie, je me levai, et je considérai avec une profonde émotion les anciennes tours de..., parées des premières lueurs, et qui commençaient à s'empourprer de l'éclat radieux d'une matinée de juin sans nuages. J'étais ferme et inébranlable dans mon dessein, mais troublé cependant par une appréhension vague d'embarras et de dangers incertains; et si j'avais pu prévoir la tempête, la véritable grêle d'affliction qui devait bientôt s'abattre sur moi, j'eusse été à bon droit bien autrement agité. La paix profonde du matin faisait avec ce trouble un contraste attendrissant et lui servait presque de médecine. Le silence était plus profond qu'à minuit; et pour moi le silence d'un matin d'été est plus touchant que tout autre silence parce que la lumière, quoique large et forte, comme celle de midi dans les autres saisons de l'année, semble différer du jour parfait surtout en ceci que l'homme n'est pas encore dehors; et ainsi la paix de la nature et des innocentes créatures de Dieu semble profonde et assurée, tant que la présence de l'homme, avec son esprit inquiet et instable, n'en viendra pas troubler la sainteté. Je m'habillai, je pris mon chapeau et mes gants, et je m'attardai quelque temps dans ma chambre. Depuis un an et demi, cette chambre avait été la citadelle de ma pensée; là, j'avais lu et étudié pendant les longues heures de la nuit; et, bien qu'à dire vrai, pendant la dernière partie de cette période, moi qui étais fait pour l'amour et les affections douces, j'eusse perdu ma gaieté et mon bonheur dans la lutte fiévreuse que j'avais soutenue contre mon tuteur, d'un autre côté cependant, un garçon comme moi, amoureux des livres, adonné aux recherches de l'esprit, ne pouvait pas n'avoir pas joui de quelques bonnes heures, au milieu même de son découragement. Je pleurais en regardant autour de moi le fauteuil, la cheminée, la table à écrire, et autres objets familiers que j'étais trop sûr de ne pas revoir. Depuis lors jusqu'à l'heure où je trace ces lignes, dix-huit années se sont écoulées, et cependant, en ce moment même, je vois distinctement, comme si cela datait d'hier, le contour et l'expression de l'objet sur lequel je fixais un regard d'adieu; c'était un portrait de la séduisante..., qui était suspendu au-dessus de la cheminée, et dont les yeux et la bouche étaient si beaux, et toute la physionomie si radieuse de bonté et de divine sérénité, que j'avais mille fois laissé tomber ma plume ou mon livre pour demander des consolations à son image, comme un dévot à son saint patron. Pendant que je m'oubliais à la contempler, la voix profonde de l'horloge proclama qu'il était quatre heures. Je me haussai jusqu'au portrait, je le baisai, et puis je sortis doucement et je refermai la porte pour toujours!

« Les occasions de rire et de larmes s'entrelacent et se mêlent si bien dans cette vie, que je ne puis sans sourire me rappeler un incident qui se produisit alors et faillit faire obstacle à l'exécution immédiate de mon plan. J'avais une malle d'un poids énorme; car, outre mes habits, elle contenait presque toute ma bibliothèque. La difficulté était de la faire transporter chez un voiturier. Ma chambre était située à une hauteur aérienne, et ce qu'il y avait de pis, c'est que l'escalier qui condui-sait à cet angle du bâtiment aboutissait à un cor-ridor passant devant la porte de la chambre du principal. J'étais adoré de tous les domestiques, et, sachant que chacun d'eux s'empresserait à me servir secrètement, je confiai mon embarras à un valet de chambre du principal. Il jura qu'il ferait tout ce que je voudrais; et quand le moment fut venu, il monta l'escalier pour emporter la malle. Je craignais fort que cela ne fût au-dessus des forces d'un seul homme; mais ce groom était un gaillard doué

D'épaules atlastiques, faites pour supporter
Le poids des plus puissantes monarchies,

et il avait un dos aussi vaste que les plaines de Salisbury. Il s'entêta donc à transporter la malle à lui seul, pendant que j'attendais au bas du dernier étage, plein d'anxiété. Durant quelque temps, je l'entendis qui descendait d'un pas ferme et lent; mais malheureusement, par suite de son inquié-tude, comme il se rapprochait de l'endroit dange-reux, à quelques pas du corridor son pied glissa, et le puissant fardeau, tombant de ses épaules, acquit une telle vitesse de descente à chaque marche de l'escalier, qu'en arrivant au bas il roula, ou plutôt bondit tout droit, avec le vacarme de vingt démons, contre la porte de la chambre à coucher de l'*archididascalus*. Ma première idée fut que tout était perdu et que ma seule chance pour exécuter une retraite était de sacrifier mon bagage. Néanmoins un moment de réflexion me décida à attendre la fin de l'aventure. Le groom était dans une frayeur horrible pour son propre compte et pour le mien; mais, en dépit de tout cela, le sentiment du comique s'était, dans ce malheureux contre-temps, si irrésistiblement emparé de son esprit, qu'il éclata de rire, — mais d'un rire prolongé, étourdissant, à toute volée, qui aurait réveillé les *Sept Dormants*. Aux sons de cette musique de gaieté, qui résonnait aux oreilles mêmes de l'autorité insultée, je ne pus m'empêcher de joindre la mienne, non pas tant à cause de la malheureuse *étourderie* de la malle, qu'à cause de l'effet nerveux produit sur le groom. Nous nous attendions tous les deux, très-naturellement, à voir le docteur s'élancer hors de sa chambre; car généralement, s'il entendait remuer une souris, il bondissait comme un mâtin hors de sa niche. Chose singulière, en cette occasion, quand nos éclats de rire eurent cessé, aucun bruit, pas même un frôlement, ne se fit entendre dans la chambre. Le docteur était affligé d'une infirmité douloureuse, qui le tenait quelquefois éveillé, mais qui, peut-être, quand il parvenait à s'assoupir, le faisait dormir plus profondément. Encouragé par ce silence, le groom rechargea son fardeau sur ses épaules et effectua le reste de sa descente sans accident. J'attendis jusqu'à ce que j'eusse vu la malle placée sur une brouette et en route pour la voiture. Alors, sans autre guide que la Providence, je partis à pied, emportant sous mon bras un petit paquet avec quelques objets de toilette, un poëte anglais favori dans une poche, et dans l'autre un petit volume in-douze contenant environ neuf pièces d'Euripide. »

Notre écolier avait caressé l'idée de se diriger vers le Westmoreland; mais un accident qu'il ne nous explique pas changea son itinéraire et le jeta dans les Galles du Nord. Après avoir erré quelque temps dans le Denblighshire, le Merionesthshire et le Caernarvonshire, il s'installa dans une petite

maison fort propre, à B... ; mais il en fut bientôt
rejeté par un incident où son jeune orgueil se
trouva froissé de la manière la plus comique. Son
hôtesse avait servi chez un évêque, soit comme
gouvernante, soit comme bonne d'enfants. La
superbe énorme du clergé anglais s'infiltre généralement non seulement dans les enfants des
dignitaires, mais même dans leurs serviteurs.
Dans une petite ville comme B..., avoir vécu dans
la famille d'un évêque suffisait évidemment pour
conférer une sorte de distinction ; de sorte que la
bonne dame n'avait sans cesse à la bouche que
des phrases comme : « Mylord faisait ceci, mylord
faisait cela ; mylord était un homme indispensable au Parlement, indispensable à Oxford... »
Peut-être trouva-t-elle que le jeune homme
n'écoutait pas ses discours avec assez de révé-
rence. Un jour elle était allée rendre ses devoirs à
l'évêque et à sa famille, et celui-ci l'avait question-
née sur ses petites affaires. Apprenant qu'elle
avait loué son appartement, le digne prélat avait
pris soin de lui recommander d'être fort difficile
sur le choix de ses locataires : « Betty, dit-il, rappelez-vous bien que cet endroit est placé sur la
grande route qui mène à la capitale, de sorte qu'il
doit vraisemblablement servir d'étape à une foule
d'escrocs irlandais qui fuient leurs créanciers
d'Angleterre, et d'escrocs anglais qui ont laissé
des dettes dans l'île de Man. » Et la bonne dame,
en racontant orgueilleusement son entrevue avec
l'évêque, ne manqua pas d'ajouter sa réponse :
« Oh ! mylord, je ne crois vraiment pas que ce gen-
tleman soit un escroc, parce que... » — « Vous ne
pensez pas que je sois un escroc ! répond le jeune
écolier exaspéré ; désormais je vous épargnerai la
peine de penser à de pareilles choses. » Et il
s'apprêta à partir. La pauvre hôtesse avait bien

envie de mettre les pouces; mais, la colère ayant
inspiré à celui-ci quelques termes peu respec-
tueux à l'endroit de l'évêque, toute réconciliation
devint impossible. « J'étais, dit-il, véritablement
indigné de cette facilité de l'évêque à calomnier
une personne qu'il n'avait jamais vue, et j'eus
envie de lui faire savoir là-dessus ma pensée en
grec, ce qui, tout en fournissant une présomption
en faveur de mon honnêteté, aurait en même
temps (du moins je l'espérais) fait un devoir à
l'évêque de me répondre dans la même langue :
auquel cas je ne doutais pas qu'il devînt manifeste, que si je n'étais pas aussi riche que Sa Sei-
gneurie, j'étais un bien meilleur helléniste. Des
pensées plus saines chassèrent ce projet enfantin... »

Sa vie errante recommence; mais d'auberge en
auberge il se trouve rapidement dépouillé de son
argent. Pendant une quinzaine de jours il est
réduit à se contenter d'un seul plat par jour.
L'exercice et l'air des montagnes, qui agissent
vigoureusement sur un jeune estomac, lui
rendent ce maigre régime fort douloureux; car ce
repas unique est fait de thé ou de café. Enfin le
thé et le café deviennent un luxe impossible, et
durant tout son séjour dans le pays de Galles il
subsiste uniquement de mûres et de baies d'églan-
tier. De temps à autre une bonne hospitalité
coupe, comme une fête, ce régime d'anachorète,
et cette hospitalité, il la paye généralement par de
petits services d'écrivain public. Il remplit l'office
de secrétaire pour les paysans qui ont des parents
à Londres ou à Liverpool. Plus souvent ce sont
des lettres d'amour que les filles qui ont été ser-
vantes, soit à Shrewsbury, soit dans toute autre
ville sur la côte d'Angleterre, le chargent de rédiger pour les amoureux qu'elles y ont laissés. Il y a

même un épisode de ce genre qui a un caractère touchant. Dans une partie reculée du Merionesthshire, à Llan-y-Stindwr, il loge pendant un peu plus de trois jours chez des jeunes gens qui le traitent avec une cordialité charmante ; quatre sœurs et trois frères, tous parlant anglais, et doués d'une élégance et d'une beauté natives tout à fait singulières. Il rédige une lettre pour un des frères, qui, ayant servi sur un navire de guerre, veut réclamer ses parts de prise, et plus secrètement, deux lettres d'amour pour deux des sœurs. Ces naïves créatures, par leur candeur, leur distinction naturelle, et leurs pudiques rougeurs quand elles dictent leurs instructions, font songer aux grâces limpides et délicates des keepsakes. Il s'acquitte si bien de son devoir que les blanches filles sont tout émerveillées qu'il ait su concilier les exigences de leur orgueilleuse pudeur avec leur envie secrète de dire les choses les plus aimables. Mais un matin il remarque un embarras singulier, presque une affliction ; c'est que les vieux parents reviennent, gens grognons et austères qui s'étaient absentés pour assister à un meeting annuel de méthodistes à Caernarvon. À toutes les phrases que le jeune homme leur adresse, il n'obtient pas d'autre réponse que : « *Dym Sassenach* » (*no English*). « Malgré tout ce que les jeunes gens pouvaient dire en ma faveur, je compris aisément que mes talents pour écrire des lettres d'amour seraient auprès de ces graves méthodistes sexagénaires une aussi pauvre recommandation que mes vers saphiques ou alcaïques. » Et de peur que la gracieuse hospitalité offerte par la jeunesse ne se transforme dans la main de ces rudes vieillards en une cruelle charité, il reprend son singulier pèlerinage.

L'auteur ne nous dit pas par quels moyens ingé-

nieux il réussit, malgré sa misère, à se transporter
à Londres. Mais ici la misère, d'âpre qu'elle était,
devient positivement terrible, presque une agonie
journalière. Qu'on se figure seize semaines de tortures causées par une faim permanente à peine
soulagée par quelques bribes de pain subtilement
dérobées à la table d'un homme dont nous aurons
à parler tout à l'heure ; deux mois passés à la belle
étoile ; et enfin le sommeil corrompu par des
angoisses et des soubresauts intermittents. Certes
son équipée d'écolier lui coûtait cher. Quand la
saison inclémente arriva comme pour augmenter
ces souffrances qui semblaient ne pouvoir
s'aggraver, il eut le bonheur de trouver un abri,
mais quel abri ! L'homme au déjeuner de qui il
assistait et à qui il dérobait quelques croûtes de
pain (celui-ci le croyait malade et ignorait qu'il fût
absolument dénué de tout) lui permit de coucher
dans une vaste maison inoccupée dont il était
locataire. En fait de meubles, rien qu'une table et
quelques chaises ; un désert poudreux, plein de
rats. Au milieu de cette désolation habitait cependant une pauvre petite fille, non pas idiote, mais
plus que simple, non pas jolie certes, et âgée d'une
dizaine d'années, à moins toutefois que la faim
dont elle était rongée n'eût vieilli prématurément
son visage. Était-ce simplement une servante ou
une fille naturelle de l'homme en question ?
l'auteur ne l'a jamais su. Cette pauvre abandonnée fut bien heureuse quand elle apprit qu'elle
aurait désormais un compagnon pour les noires
heures de la nuit. La maison était vaste, et
l'absence de meubles et de tapisseries la rendait
plus sonore ; le fourmillement des rats emplissait
de bruit les salles et l'escalier. À travers les douleurs physiques du froid et de la faim, la malheureuse petite avait su se créer un mal imagi-

naire : elle avait peur des revenants. Le jeune
homme lui promit de la protéger contre eux, et,
ajoute-t-il assez drôlement, « c'était tout le
secours que je pouvais lui offrir ». Ces deux
pauvres êtres, maigres, affamés, frissonnants,
couchaient sur le plancher avec des liasses de
papier de procédure pour oreiller, sans autre cou-
verture qu'un vieux manteau de cavalier. Plus
tard cependant, ils découvrirent dans le grenier
une vieille housse de canapé, un petit morceau de
tapis et quelques autres nippes qui leur firent un
peu plus de chaleur. La pauvre enfant se serrait
contre lui pour se réchauffer et pour se rassurer
contre ses ennemis de l'autre monde. Quand il
n'était pas plus malade qu'à l'ordinaire, il la prenait dans ses bras, et la petite, réchauffée par ce
contact fraternel, dormait souvent tandis que lui,
il n'y pouvait réussir. Car durant ses deux derniers mois de souffrance il dormait beaucoup
pendant le jour, ou plutôt il tombait dans des
somnolences soudaines ; mauvais sommeil hanté
de rêves tumultueux ; sans cesse il s'éveillait, et
sans cesse il s'endormait, la douleur et l'angoisse
interrompant violemment le sommeil, et l'épuisement le ramenant irrésistiblement. Quel est
l'homme nerveux qui ne connaît pas ce *sommeil
de chien*, comme dit la langue anglaise dans son
elliptique énergie ? Car les douleurs morales produisent des effets analogues à ceux des souffrances physiques, telles que la faim. On s'entend
soi-même gémir ; on est quelquefois réveillé par
sa propre voix ; l'estomac va se creusant sans
cesse et se contractant comme une éponge oppri-
mée par une main vigoureuse ; le diaphragme se
rétrécit et se soulève ; la respiration manque, et
l'angoisse va toujours croissant jusqu'à ce que,
trouvant un remède dans l'intensité même de la

douleur, la nature humaine fasse explosion dans un grand cri et dans un bondissement de tout le corps qui amène enfin une violente délivrance.

Cependant le maître de la maison arrivait quelquefois soudainement, et de très-bonne heure ; quelquefois il ne venait pas du tout. Il était toujours sur le qui-vive, à cause des huissiers, raffinant le procédé de Cromwell et couchant chaque nuit dans un quartier différent ; examinant à travers un guichet la physionomie des gens qui frappaient à la porte ; déjeunant seul avec du thé et un petit pain ou quelques biscuits qu'il avait achetés en route, et n'invitant jamais personne. C'est pendant ce déjeuner, merveilleusement frugal, que le jeune homme trouvait subtilement quelque prétexte pour rester dans la chambre et entamer la conversation ; puis, avec l'air le plus indifférent qu'il pût se composer, il s'emparait des derniers débris de pain traînant sur la table ; mais quelquefois aucune épave ne restait pour lui. Tout avait été englouti. Quant à la petite fille, elle n'était jamais admise dans le cabinet de l'homme, si l'on peut appeler ainsi un capharnaüm de paperasses et de parchemins. À six heures ce personnage mystérieux décampait et fermait sa chambre. Le matin, à peine était-il arrivé, que la petite descendait pour vaquer à son service. Quand l'heure du travail et des affaires commençait pour l'homme, le jeune vagabond sortait et allait errer ou s'asseoir dans les parcs ou ailleurs. À la nuit il revenait à son gîte désolé, et au coup de marteau la petite accourait d'un pas tremblant pour ouvrir la porte d'entrée.

Dans ses années plus mûres, un 15 août, jour de sa naissance, un soir à dix heures, l'auteur a voulu jeter un coup d'œil sur cet asile de ses anciennes misères. À la lueur resplendissante d'un beau salon, il a vu des gens qui prenaient le thé et qui avaient l'air aussi heureux que possible ; étrange contraste avec les ténèbres, le froid, le silence et la désolation de cette même bâtisse, lorsque, dix-huit ans auparavant, elle abritait un étudiant famélique et une petite fille abandonnée. Plus tard il fit quelques efforts pour retrouver la trace de cette pauvre enfant. A-t-elle vécu ? est-elle devenue mère ? Nul renseignement. Il l'aimait comme son associée en misère ; car elle n'était ni jolie, ni agréable, ni même intelligente. Pas d'autre séduction qu'un visage humain, la pure humanité réduite à son expression la plus pauvre. Mais, ainsi que l'a dit, je crois, Robespierre, dans son style de glace ardente, recuit et congelé comme l'abstraction : « L'homme ne voit jamais l'homme sans plaisir ! »

Mais qui était et que faisait cet homme, ce locataire aux habitudes si mystérieuses ? C'était un de ces hommes d'affaires, comme il y en a dans toutes les grandes villes, plongés dans des chicanes compliquées, rusant avec la loi, et ayant remisé pour un certain temps leur conscience, en attendant qu'une situation plus prospère leur permette de reprendre l'usage de ce luxe gênant. S'il le voulait, l'auteur pourrait, nous dit-il, nous amuser vivement aux dépens de ce malheureux, et nous raconter des scènes curieuses, des épisodes impayables ; mais il a voulu tout oublier et ne se souvenir que d'une seule chose : c'est que cet homme, si méprisable à d'autres égards, avait toujours été serviable pour lui, et même généreux, autant du moins que cela était en son pouvoir. Excepté le sanctuaire aux paperasses, toutes les chambres étaient à la disposition des deux enfants, qui chaque soir avaient ainsi un vaste choix de logements à leur service, et pouvaient, pour leur nuit, planter leur tente où bon leur semblait.

Mais le jeune homme avait une autre amie dont il est temps que nous parlions. Je voudrais, pour raconter dignement cet épisode, dérober, pour ainsi dire, une plume à l'aile d'un ange, tant ce tableau m'apparaît chaste, plein de candeur, de grâce et de miséricorde. « De tout temps, dit l'auteur, je m'étais fait gloire de conserver familièrement, *more socratico*, avec tous les êtres humains, hommes, femmes et enfants, que le hasard pouvait jeter dans mon chemin ; habitude favorable à la connaissance de la nature humaine, aux bons sentiments et à la franchise d'allures qui conviennent à un homme voulant mériter le titre de philosophe. Car le philosophe ne doit pas voir avec les yeux de cette pauvre créature bornée qui s'intitule elle-même *l'homme du monde*, remplie de préjugés étroits et égoïstiques, mais doit au contraire se regarder comme un être vraiment *catholique*, en communion et relations égales avec tout ce qui est en haut et tout ce qui est en bas, avec les gens instruits, et les gens non éduqués, avec les coupables comme avec les innocents. » Plus tard, parmi les jouissances octroyées par le généreux opium, nous verrons se reproduire cet esprit de charité et de fraternité universelles, mais activé et augmenté par le génie particulier de l'ivresse. Dans les rues de Londres, plus encore que dans le pays de Galles, l'étudiant émancipé était donc une espèce de péripatéticien, un philosophe de la rue, méditant sans cesse à travers le tourbillon de la grande cité. L'épisode en question peut paraître un peu étrange dans des pages anglaises, car on sait que la littérature britannique pousse la chasteté jusqu'à la pruderie ; mais, ce qui est certain, c'est que le même sujet, effleuré seulement par une plume française, aurait rapidement tourné au *shocking*, tandis qu'ici il n'y a que grâce et décence. Pour tout dire en deux mots, notre vagabond s'était lié d'une amitié platonique avec une *péripatéticienne* de l'amour. Ann n'est pas une de ces beautés hardies, éblouissantes, dont les yeux de démon luisent à travers le brouillard, et qui se font une auréole de leur effronterie. Ann est une créature toute simple, tout ordinaire, dépouillée, abandonnée comme tant d'autres, et réduite à l'abjection par la trahison. Mais elle est revêtue de cette grâce innommable, de cette grâce de la faiblesse et de la bonté, que Gœthe savait répandre sur toutes les femelles de son cerveau, et qui a fait de sa petite Marguerite aux mains rouges une créature immortelle. Que de fois, à travers leurs mono- tones pérégrinations dans l'interminable Oxford- street, à travers le fourmillement de la grande ville regorgeante d'activité, l'étudiant famélique a- t-il exhorté sa malheureuse amie à implorer le secours d'un magistrat contre le misérable qui l'avait dépouillée, lui offrant de l'appuyer de son témoignage et de son éloquence! Ann était encore plus jeune que lui, elle n'avait que seize ans. Combien de fois le protégea-t-elle contre les offi- ciers de police qui voulaient l'expulser des portes où il s'abritait! Une fois elle fit plus, la pauvre abandonnée: elle et son ami s'étaient assis dans Soho-square, sur les degrés d'une maison devant laquelle depuis lors, avoue-t-il, il n'a jamais pu passer sans se sentir le cœur comprimé par la griffe du souvenir, et sans faire un acte de grâces intérieur à la mémoire de cette déplorable et généreuse jeune fille. Ce jour-là, il s'était senti plus faible encore et plus malade que de cou- tume; mais, à peine assis, il lui sembla que son

mal empirait. Il avait appuyé sa tête contre le sein
de sa sœur d'infortune, et, tout d'un coup, il
s'échappa de ses bras et tomba à la renverse sur
les degrés de la porte. Sans un stimulant vigoureux, c'en était fait de lui, ou du moins il serait
tombé pour jamais dans un état de faiblesse irrémédiable. Et dans cette crise de sa destinée, ce fut
la créature perdue qui lui tendit la main de salut,
elle qui n'avait connu le monde que par l'outrage
et l'injustice. Elle poussa un cri de terreur, et,
sans perdre une seconde, elle courut dans Oxford-
street, d'où elle revint presque aussitôt avec un
verre de porto épicé, dont l'action réparatrice fut
merveilleuse sur un estomac vide qui n'aurait pu
d'ailleurs supporter aucune nourriture solide. « Ô
ma jeune bienfaitrice! combien de fois, dans les
années postérieures, jeté dans des lieux solitaires,
et rêvant de toi avec un cœur plein de tristesse et
de véritable amour, combien de fois ai-je souhaité
que la bénédiction d'un cœur oppressé par la
reconnaissance eût cette prérogative et cette puissance surnaturelles que les anciens attribuaient à
la malédiction d'un père, poursuivant son objet
avec la rigueur indéfectible d'une fatalité! — que
ma gratitude pût, elle aussi, recevoir du ciel la
faculté de te poursuivre, de te hanter, de te guet-
ter, de te surprendre, de t'atteindre jusque dans
les ténèbres épaisses d'un bouge de Londres, ou
même, s'il était possible, dans les ténèbres du
tombeau, pour te réveiller avec un message
authentique de paix, de pardon et de finale
réconciliation! »

Pour sentir de cette façon, il faut avoir souffert
beaucoup, il faut être un de ces cœurs que le malheur ouvre et amollit, au contraire de ceux qu'il
ferme et durcit. Le Bédouin de la civilisation
apprend dans le Saharah des grandes villes bien

des motifs d'attendrissement qu'ignore l'homme
dont la sensibilité est bornée par le *home* et la
famille. Il y a dans le *barathrum* des capitales,
comme dans le Désert, quelque chose qui fortifie
et qui façonne le cœur de l'homme, qui le fortifie
d'une autre manière, quand il ne le déprave pas et
ne l'affaiblit pas jusqu'à l'abjection et jusqu'au
suicide.

Un jour, peu de temps après cet accident, il fit
dans Albemarle-street la rencontre d'un ancien
ami de son père, qui le reconnut à son air de
famille; il répondit à toutes ses questions avec
candeur, ne lui cacha rien, mais exigea de lui sa
parole qu'il ne le livrerait pas à ses tuteurs. Enfin
il lui donna son adresse chez son hôte, le singulier
attorney. Le jour suivant, il recevait dans une
lettre, que celui-ci lui remettait fidèlement, une
bank-note de dix livres.

Le lecteur peut s'étonner que le jeune homme
n'ait pas cherché dès le principe un remède
contre la misère, soit dans un travail régulier, soit
en demandant assistance aux anciens amis de sa
famille. Quant à cette dernière ressource, il y
avait danger évident à s'en servir. Les tuteurs pouvaient être avertis, et la loi leur donnait tout pouvoir pour ramener de force le jeune homme dans
l'école qu'il avait fuie. Or, une énergie, qui se rencontre souvent dans les caractères les plus féminins et les plus sensibles, lui donnait le courage
de supporter toutes les privations et tous les dangers plutôt que de risquer une aussi humiliante
éventualité. D'ailleurs, où les trouver, ces amis de
son père mort il y avait alors dix ans, amis dont il
avait oublié les noms, pour la plupart du moins?
Quant au travail, il est certain qu'il aurait pu trouver une rémunération passable dans la correction
des épreuves de grec, et qu'il se sentait très-

capable de remplir ces fonctions d'une manière exemplaire; mais encore, comment s'ingénier pour se faire présenter à un éditeur honorable? Enfin, pour tout dire, il avoue qu'il ne lui était jamais entré dans la pensée que le travail littéraire pût devenir pour lui la source d'un profit quelconque. Il n'avait jamais, pour sortir de sa déplorable situation, caressé qu'un seul expédient, celui d'emprunter de l'argent sur la fortune qu'il avait le droit d'attendre. Enfin, il était parvenu à faire la connaissance de quelques juifs, que l'attorney en question servait dans leurs affaires ténébreuses. Leur prouver qu'il avait de réelles espérances, là n'était pas le difficile, ses assertions pouvant être vérifiées avec le testament de son père aux *Doctors commons*. Mais restait une question absolument imprévue pour lui, celle de l'identité de personne. Il exhiba alors quelques lettres que de jeunes amis, entre autre le comte de..., et même son père le marquis de..., lui avaient écrites pendant qu'il habitait le pays de Galles, et qu'il portait toujours dans sa poche. Les juifs daignèrent enfin promettre deux ou trois cents livres, à la condition que le jeune comte de... (qui, par parenthèse, n'était guère plus âgé que lui), consentirait à en garantir le remboursement à l'époque de leur majorité. On devine que le but du prêteur n'était pas seulement de tirer un profit quelconque d'une affaire, fort minime après tout pour lui, mais d'entrer en relations avec le jeune comte, dont il connaissait l'immense fortune à venir. Aussi, à peine ses dix livres reçues, notre jeune vagabond se prépare-t-il à partir pour Eton. Trois livres à peu près sont laissées au futur prêteur pour payer les actes. à rédiger; quelque argent est aussi donné à l'attorney pour l'indemniser de son hospitalité sans meubles; quinze

schellings sont employés à faire un peu de toilette
(quelle toilette!); enfin la pauvre Ann a aussi sa
part dans cette bonne fortune. Par une sombre
soirée d'hiver il se dirige vers Piccadilly,
accompagné de la pauvre fille, avec intention de
descendre jusqu'à Salt-Hill avec la malle de Bris-
tol. Comme ils ont encore du temps devant eux,
ils entrent dans Golden-square et s'asseyent au
coin de Sherrard-street, pour éviter le tumulte et
les lumières de Piccadilly. Il lui avait bien promis
de ne pas l'oublier et de lui venir en aide aussitôt
que cela lui serait possible. En vérité, c'était là un
devoir, et même un devoir impérieux, et il sentait
dans ce moment sa tendresse pour cette sœur de
hasard multipliée par la pitié que lui inspirait son
extrême abattement. Malgré toutes les atteintes
que sa santé avait reçues, il était, lui, comparativement joyeux et même plein d'espérances, tandis que Ann était mortellement triste. Au moment
des adieux, elle lui jeta ses bras autour du cou, et
se mit à pleurer sans prononcer une seule parole.
Il espérait revenir au plus tard dans une semaine,
et il fut convenu entre eux qu'à partir du cinquième soir, et chaque soir suivant, elle viendrait
l'attendre à six heures au bas de Great-Titchfield-
street, qui était comme leur port habituel et leur
lieu de repos dans la grande Méditerranée
d'Oxford-street. Il croyait ainsi avoir bien pris
toutes ses précautions pour la retrouver; il n'en
avait oublié qu'une seule : Ann ne lui avait jamais
dit son nom de famille, ou, si elle le lui avait dit, il
l'avait oublié comme chose de peu d'importance.
Les femmes galantes à grandes prétentions, grandes liseuses de romans, se font appeler volontiers
miss Douglas, *miss Montague*, etc., mais les plus
humbles parmi ces pauvres filles ne se font
connaître que par leur nom de baptême, *Mary*,

Jane, *Frances*, etc. D'ailleurs Ann était en ce
moment affligée d'un rhume et d'un enrouement
violents, et tout occupé dans ce moment suprême
à la réconforter de bonnes paroles et à lui conseiller de bien prendre garde à son rhume, il oublia
totalement de lui demander son second nom, qui
était le moyen le plus sûr de retrouver sa trace au
cas d'un rendez-vous manqué ou d'une interruption prolongée dans leurs rapports.

J'abrège vivement les détails du voyage, qui
n'est illustré que par la tendresse et la charité d'un
gros sommelier, sur la poitrine et dans les bras
duquel notre héros, assoupi par sa faiblesse et par
le roulis de la voiture, s'endort comme sur un sein
de nourrice, — et par un long sommeil en plein
air entre Slough et Eton ; car il avait été obligé de
revenir à pied sur ses pas, s'étant brusquement
réveillé dans les bras de son voisin, après avoir
dépassé sans le savoir Salt-Hill de six ou sept
milles. Arrivé au but du voyage, il apprend que le
jeune lord n'est plus à Eton. En désespoir de
cause, il demande à déjeuner à lord D..., autre
ancien camarade, avec lequel pourtant sa liaison
était beaucoup moins intime. C'était la première
bonne table à laquelle il lui fut permis de s'asseoir
depuis bien des mois, et cependant il ne put toucher à rien. À Londres déjà, le jour même où il
avait reçu sa bank-note, il avait acheté deux petits
pains dans la boutique d'un boulanger, et cette
boutique, il la dévorait des yeux depuis deux mois
ou six semaines avec une intensité de désir dont
le souvenir lui était presque une humiliation.
Mais le pain tant désiré l'avait rendu malade, et
pendant plusieurs semaines encore il lui fut
impossible de toucher sans danger à un mets
quelconque. Au milieu même du luxe et du
confort, l'appétit avait disparu. Quand il eut expli-

qué à lord D... la situation lamentable de son estomac, celui-ci fit demander du vin, ce qui fut une
grande joie. — Quant à l'objet réel du voyage, le
service qu'il se proposait de demander au comte
de..., et qu'il demande à son défaut à lord D..., il
ne peut l'obtenir absolument, c'est-à-dire que
celui-ci, ne voulant pas le mortifier par un
complet refus, consent à donner sa garantie, mais
dans de certains termes et à de certaines conditions. Réconforté par cette moitié de succès, il
rentre dans Londres, après trois jours d'absence,
et retourne chez ses amis les juifs. Malheureusement les prêteurs d'argent refusent d'accepter les
conditions de lord D..., et son épouvantable existence aurait pu recommencer, avec plus de danger cette fois, si, au début de cette nouvelle crise,
par un hasard qu'il ne nous explique pas, une
ouverture ne lui avait été faite de la part de ses
tuteurs, et si une pleine réconciliation n'avait pas
changé sa vie. Il quitte Londres en toute hâte, et
enfin, au bout de quelque temps, se rend à l'université. Ce ne fut que plusieurs mois plus tard
qu'il put revoir le théâtre de ses souffrances de
jeunesse.

Mais la pauvre Ann, qu'en est-il advenu?
Chaque soir, il l'a cherchée; chaque soir il l'a
attendue au coin de Titchfield-street. Il s'est
enquis d'elle auprès de tous ceux qui pouvaient la
connaître; pendant les dernières heures de son
séjour à Londres il a mis en œuvre, pour la retrouver, tous les moyens à sa disposition. Il connaissait la rue où elle logeait, mais non la maison;
d'ailleurs il croyait vaguement se rappeler
qu'avant leurs adieux elle avait été obligée de fuir
la brutalité de son hôtelier. Parmi les gens auxquels il s'adressait, les uns, à l'ardeur de ses questions, jugeaient les motifs de sa recherche dés-

honnêtes et ne répondaient que par le rire ; d'autres, croyant qu'il était en quête d'une fille qui lui avait volé quelque bagatelle, étaient naturellement peu disposés à se faire dénonciateurs. Enfin, avant de quitter Londres définitivement, il a laissé sa future adresse à une personne qui connaissait Ann de vue, et cependant il n'en a plus jamais entendu parler. Ç'a été parmi les troubles de la vie sa plus lourde affliction. Notez que l'homme qui parle ainsi est un homme grave, aussi recommandable par la spiritualité de ses mœurs que par la hauteur de ses écrits.

« Si elle a vécu, nous avons dû souvent nous chercher mutuellement à travers l'immense labyrinthe de Londres ; peut-être à quelques pas l'un de l'autre, distance suffisante, dans une rue de Londres, pour créer une séparation éternelle ! Pendant quelques années, j'ai espéré qu'elle vivait, et je crois bien que dans mes différentes excursions à Londres j'ai examiné plusieurs milliers de visages féminins, dans l'espérance de rencontrer le sien. Si je la voyais une seconde, je la reconnaîtrais entre mille ; car, bien qu'elle ne fût pas jolie, elle avait l'expression douce, avec une allure de tête particulièrement gracieuse. Je l'ai cherchée, dis-je, avec espoir. Oui, pendant des années ! mais maintenant je craindrais de la voir ; et ce terrible rhume, qui m'effrayait tant quand nous nous quittâmes, fait aujourd'hui ma consolation. Je ne désire plus la voir, mais je rêve d'elle, et non sans plaisir, comme d'une personne étendue depuis longtemps dans le tombeau, — dans le tombeau d'une Madeleine, j'aimerais à le croire, — enlevée à ce monde avant que l'outrage et la barbarie n'aient maculé et défiguré sa nature ingénue, ou que la brutalité des chenapans n'ait complété la ruine de celle à qui ils avaient porté les premiers coups.

« Ainsi donc, Oxford-street, marâtre au cœur de pierre, toi qui as écouté les soupirs des orphelins et bu les larmes des enfants, j'étais enfin délivré de toi ! Le temps était venu où je ne serais plus condamné à arpenter douloureusement tes interminables trottoirs, à m'agiter dans d'affreux rêves ou dans une insomnie affamée ! Ann et moi, nous avons eu nos successeurs trop nombreux qui ont foulé les traces de nos pas ; héritiers de nos calamités, d'autres orphelins ont soupiré ; des larmes ont été versées par d'autres enfants ; et toi, Oxford-street, tu as depuis lors répété l'écho des gémissements de cœurs innombrables. Mais pour moi la tempête à laquelle j'avais survécu semblait avoir été le gage d'une belle saison prolongée... »

Ann a-t-elle tout à fait disparu ? Oh ! non ! nous la reverrons dans les mondes de l'opium ; fantôme étrange et transfiguré, elle surgira lentement dans la fumée du souvenir, comme le génie des *Mille et une Nuits* dans les vapeurs de la bouteille. Quant au *mangeur d'opium*, les douleurs de l'enfance ont jeté en lui des racines profondes qui deviendront arbres et ces arbres jetteront sur tous les objets de la vie leur ombrage funèbre. Mais ces douleurs nouvelles, dont les dernières pages de la partie biographique nous donnent le pressentiment, seront supportées avec courage, avec la fermeté d'un esprit mûr, et grandement allégées par la sympathie la plus profonde et la plus tendre. Ces pages contiennent l'invocation la plus noble et les actions de grâces les plus tendres à une compagne courageuse, toujours assise au chevet où repose ce cerveau hanté par les Euménides. L'Oreste de l'opium a trouvé son Électre, qui pendant des années a essuyé sur son front les sueurs de l'angoisse et rafraîchi ses lèvres parcheminées par la fièvre. « Car tu fus mon Électre, chère compa-

gne de mes années postérieures! et tu n'as pas
voulu que l'épouse anglaise fut vaincue par la
sœur grecque en noblesse d'esprit non plus qu'en
affection patiente! » Autrefois, dans ses misères
de jeune homme, tout en rôdant dans Oxford-
street, dans les nuits pleines de lune, il plongeait
souvent ses regards (et c'était sa pauvre consolation) dans les avenues qui traversent le cœur de
Mary-le-bone et qui conduisent jusqu'à la campagne, et, voyageant en pensée sur ces longues
perspectives coupées de lumière et d'ombre, il se
disait : « Voilà la route vers le nord, voilà la route
vers..., et si j'avais les ailes de la tourterelle, c'est
par là que je prendrais mon vol pour aller chercher du réconfort! » Homme, comme tous les
hommes, aveugle dans ses désirs! Car c'était là-
bas, au nord, en cet endroit même, dans cette
même vallée, dans cette maison tant désirée, qu'il
devait trouver ses nouvelles souffrances et toute
une compagnie de cruels fantômes. Mais là aussi
demeure l'Électre aux bontés réparatrices, et
maintenant encore, quand, homme solitaire et
pensif, il arpente l'immense Londres, le cœur
serré par des chagrins innombrables qui réclam-
ment le doux baume de l'affection domestique, en
regardant les rues qui s'élancent d'Oxford-street
vers le nord, et en songeant à l'Électre bien-aimée
qui l'attend dans cette même vallée, dans cette
même maison, l'homme s'écrie, comme autrefois
l'enfant : « Oh! si j'avais les ailes de la tourterelle,
c'est par là que je m'envolerais pour aller chercher
la consolation! »

Le prologue est fini, et je puis promettre au lecteur, sans crainte de mentir, que le rideau ne se
relèvera que sur la plus étonnante, la plus compliquée et la plus splendide vision qu'ait jamais allu-
mée sur la neige du papier le fragile outil du littérateur.

III

VOLUPTÉS DE L'OPIUM

Ainsi que je l'ai dit au commencement, ce fut le besoin d'alléger les douleurs d'une organisation débilitée par ces déplorables aventures de jeunesse, qui engendra chez l'auteur de ces mémoires l'usage fréquent d'abord, ensuite quotidien, de l'opium. Que l'envie irrésistible de renouveler les voluptés mystérieuses, découvertes dès le principe, l'ait induit à répéter fréquemment ses expériences, il ne le nie pas, il l'avoue même avec candeur ; il invoque seulement le bénéfice d'une excuse. Mais la première fois que lui et l'opium firent connaissance, ce fut dans une circonstance triviale. Pris un jour d'un mal de dents, il attribua ses douleurs à une interruption d'hygiène, et comme il avait depuis l'enfance l'habitude de plonger chaque jour sa tête dans l'eau froide, il eut imprudemment recours à cette pratique, dangereuse dans le cas présent. Puis il se recoucha, les cheveux tout ruisselants. Il en résulta une violente douleur rhumatismale dans la tête et dans la face, qui ne dura pas moins de vingt jours. Le vingt et unième, un dimanche pluvieux d'automne, en 1804, comme il errait dans les rues de Londres pour se distraire de son mal (c'était la première fois qu'il revoyait Londres depuis son

entrée à l'université), il fit la rencontre d'un camarade qui lui recommanda l'opium. Une heure
après qu'il eut absorbé la teinture d'opium, dans
la quantité prescrite par le pharmacien, toute
douleur avait disparu. Mais ce bénéfice, qui lui
avait paru si grand tout à l'heure, n'était plus rien
auprès des plaisirs nouveaux qui lui furent soudainement révélés. Quel enlèvement de l'esprit!
Quels mondes intérieurs! Était-ce donc là la
panacée, le *pharmakon népenthès* pour toutes les
douleurs humaines?

« Le grand secret du bonheur sur lequel les philosophes avaient disputé pendant tant de siècles
était donc décidément découvert! On pouvait
acheter le bonheur pour un penny et l'emporter
dans la poche de son gilet; l'extase se laisserait
enfermer dans une bouteille, et la paix de l'esprit
pourrait s'expédier par la diligence! Le lecteur
croira peut-être que je veux rire, mais c'est chez
moi une vieille habitude de plaisanter dans la
douleur, et je puis affirmer que celui-là ne rira
pas longtemps, qui aura entretenu commerce
avec l'opium. Ses plaisirs sont même d'une nature
grave et solennelle, et, dans son état le plus heureux, le mangeur d'opium ne peut pas se présenter avec le caractère de l'*allegro*; même alors il
parle et pense comme il convient au *penseroso*. »

L'auteur veut avant tout venger l'opium de certaines calomnies: l'opium n'est pas assoupissant,
pour l'intelligence du moins; il n'enivre pas; si le
laudanum, pris en quantité trop grande, peut enivrer, ce n'est pas à cause de l'opium, mais de
l'esprit qui y est contenu. Il établit ensuite une
comparaison entre les effets de l'alcool et ceux de
l'opium, et il définit très-nettement leurs diffé-
rences: ainsi le plaisir causé par le vin suit une
marche ascendante, au terme de laquelle il va

décroissant, tandis que l'effet de l'opium, une fois créé, reste égal à lui-même pendant huit ou dix heures; l'un, plaisir aigu; l'autre, plaisir chronique; ici, un flamboiement; là, une ardeur égale et soutenue. Mais la grande différence gît surtout en ceci, que le vin trouble les facultés mentales, tandis que l'opium y introduit l'ordre suprême et l'harmonie. Le vin prive l'homme du gouvernement de soi-même, et l'opium rend ce gouvernement plus souple et plus calme. Tout le monde sait que le vin donne une énergie extraordinaire, mais momentanée, au mépris et à l'admiration, à l'amour et à la haine. Mais l'opium communique aux facultés le sentiment profond de la discipline et une espèce de santé divine. Les hommes ivres de vin se jurent une amitié éternelle, se serrent les mains et répandent des larmes, sans que personne puisse comprendre pourquoi; la partie sensuelle de l'homme est évidemment montée à son apogée. Mais l'expansion des sentiments bienveillants causée par l'opium n'est pas un accès de fièvre; c'est plutôt l'homme primitivement bon et juste, restauré et réintégré dans son état naturel, dégagé de toutes les amertumes qui avaient occasionnellement corrompu son noble tempérament. Enfin, quelque grands que soient les bénéfices du vin, on peut dire qu'il frise souvent la folie ou, tout au moins, l'extravagance, et qu'au-delà d'une certaine limite il volatise, pour ainsi dire, et disperse l'énergie intellectuelle; tandis que l'opium semble toujours apaiser ce qui a été agité, et concentrer ce qui a été disséminé. En un mot, c'est la partie purement humaine, trop souvent même la partie brutale de l'homme, qui, par l'auxiliaire du vin, usurpe la souveraineté, au lieu que le mangeur d'opium sent pleinement que la partie épurée de son être et ses affections morales jouissent de leur maximum de souplesse, et, avant tout, que son intelligence acquiert une lucidité consolante et sans nuages.

L'auteur nie également que l'exaltation intellectuelle produite par l'opium soit nécessairement suivie d'un abattement proportionnel, et que l'usage de cette drogue engendre, comme conséquence naturelle et immédiate, une stagnation et une torpeur des facultés. Il affirme que pendant un espace de dix ans il a toujours joui, dans la journée qui suivait sa débauche, d'une remarquable santé intellectuelle. Quant à cette torpeur, dont tant d'écrivains ont parlé et à laquelle a surtout fait croire l'abrutissement des Turcs, il affirme ne l'avoir jamais connue. Que l'opium conformément à la qualification sous laquelle il est rangé, agisse vers la fin comme narcotique, cela est possible ; mais ses premiers effets sont toujours de stimuler et d'exalter l'homme, cette élévation de l'esprit ne durant jamais moins de huit heures ; de sorte que c'est la faute du mangeur d'opium, s'il ne règle pas sa médication de manière à faire tomber sur son sommeil naturel tout le poids de l'influence narcotique. Pour que le lecteur puisse juger si l'opium est propre à stupéfier les facultés d'un cerveau anglais, il donnera, dit-il, deux échantillons de ses jouissances, et, traitant la question par *illustrations* plutôt que par arguments, il racontera la manière dont il employait souvent *ses soirées d'opium* à Londres, dans la période de temps comprise entre 1804 et 1812. Il était alors un rude travailleur, et, tout son temps étant rempli de sévères études, il croyait bien avoir le droit de chercher de temps à autre, comme tous les hommes, le soulagement et la récréation qui lui convenaient le mieux.

« Vendredi prochain, s'il plaît à Dieu, je me propose d'être ivre », disait le feu duc de..., et notre auteur fixait ainsi d'avance quand et combien de fois dans un temps donné il se livrerait à sa débauche favorite. C'était une fois toutes les trois semaines, rarement plus, généralement le mardi soir ou le samedi soir, jours d'opéra. C'étaient les beaux temps de la Grassini. La musique entrait alors dans ses oreilles, non pas comme une simple succession logique de sons agréables, mais comme une série de *memoranda*, comme les accents d'une sorcellerie qui évoquait devant l'œil de son esprit toute sa vie passée. La musique interprétée et illuminée par l'opium, telle était cette débauche intellectuelle, dont tout esprit un peu raffiné peut aisément concevoir la grandeur et l'intensité. Beaucoup de gens demandent quelles sont les idées positives contenues dans les sons; ils oublient, ou plutôt ils ignorent que la musique, de ce côté-là parente de la poésie, représente des sentiments plutôt que des idées; suggérant des idées, il est vrai, mais ne les contenant pas par elle-même. Toute sa vie passée vivait, dit-il, en lui, non pas par un effort de la mémoire, mais comme présente et incarnée dans la musique; elle n'était plus douloureuse à contempler; toute la trivialité et la crudité inhérentes aux choses humaines étaient exclues de cette mystérieuse résurrection, ou fondues et noyées dans une brume idéale, et ses anciennes passions se trouvaient exaltées, ennoblies, spiritualisées. Combien de fois dut-il revoir sur ce second théâtre, allum dans son esprit par l'opium et la musique, les routes et les montagnes qu'il avait parcourues, écolier émancipé, et ses aimables hôtes du pays de Galles et les ténèbres coupées d'éclairs des immenses rues de Londres, et ses mélancoliques amitiés, et ses longues misères

consolées par Ann et par l'espoir d'un meilleur
avenir! Et puis, dans toute la salle, pendant les
intervalles des entr'actes, les conversations ita-
liennes et la musique d'une langue étrangère par-
lée par des femmes ajoutaient encore à l'enchantement de cette soirée; car on sait qu'ignorer une
langue rend l'oreille plus sensible à son harmonie.
De même nul n'est plus apte à savourer un paysage que celui qui le contemple pour la première
fois, la nature se présentant alors avec toute son
étrangeté, n'ayant pas encore été émoussée par un
trop fréquent regard.

Mais quelquefois, le samedi soir, une autre tentation d'un goût plus singulier et non moins
enchanteur triomphait de son amour pour l'opéra
italien. La jouissance en question, assez allé-
chante pour rivaliser avec la musique, pourrait
s'appeler le dilettantisme dans la charité. L'auteur
a été malheureux et singulièrement éprouvé,
abandonné tout jeune au tourbillon indifférent
d'une grande capitale. Quand même son esprit
n'eût pas été, comme le lecteur a dû le remarquer,
d'une nature bonne, délicate et affectueuse, on
pourrait aisément supposer qu'il a appris, dans
ses longues journées de vagabondage et dans ses
nuits d'angoisse encore plus longues, à aimer et à
plaindre le pauvre. L'ancien écolier veut revoir
cette vie des humbles; il veut se plonger au sein
de cette foule de déshérités, et, comme le nageur
embrasse la mer et entre ainsi en contact plus
direct avec la nature, il aspire à prendre, pour
ainsi dire, un bain de multitude. Ici, le ton du
livre s'élève assez haut pour que je me fasse un
devoir de laisser la parole à l'auteur lui-même :

« Ce plaisir, comme je l'ai dit, ne pouvait avoir
lieu que le samedi soir. En quoi le samedi soir se
distinguait-il de tout autre soir? De quels labeurs

avais-je donc à me reposer? quel salaire à recevoir? Et qu'avais-je à m'inquiéter du samedi soir,
sinon comme d'une invitation à entendre la Grassini? C'est vrai, très-logique lecteur, et ce que
vous dites est irréfutable. Mais les hommes
donnent un cours varié à leurs sentiments, et, tandis que la plupart d'entre eux témoignent de leur
intérêt pour les pauvres en sympathisant d'une
manière ou d'une autre avec leurs misères et leurs
chagrins, j'étais porté à cette époque à exprimer
mon intérêt pour eux en sympathisant avec leurs
plaisirs. J'avais récemment vu les douleurs de la
pauvreté; je les avais trop bien vues pour aimer à
en raviver le souvenir; mais les plaisirs du pauvre,
les consolations de son esprit, les délassements de
sa fatigue corporelle, ne peuvent jamais devenir
une contemplation douloureuse. Or, le samedi
soir marque le retour du repos périodique pour le
pauvre; les sectes les plus hostiles s'unissent en ce
point et reconnaissent ce lien commun de fraternité; ce soir-là presque toute la chrétienté se
repose de son labeur. C'est un repos qui sert
d'introduction à un autre repos; un jour entier et
deux nuits le séparent de la prochaine fatigue.
C'est pour cela que le samedi soir il me semble
toujours que je suis moi-même affranchi de quelque joug de labeur, que j'ai moi-même un salaire
à recevoir, et que je vais pouvoir jouir du luxe du
repos. Aussi, pour être témoin, sur une échelle
aussi large que possible, d'un spectacle avec
lequel je sympathisais si profondément, j'avais
coutume, le samedi soir, après avoir pris mon
opium, de m'égarer au loin, sans m'inquiéter du
chemin ni de la distance, vers tous les marchés où
les pauvres se rassemblent pour dépenser leurs
salaires. J'ai épié et écouté plus d'une famille,
composée d'un homme, de sa femme et d'un ou

deux enfants, pendant qu'ils discutaient leurs projets, leurs moyens, la force de leur budget ou le
prix d'articles domestiques. Graduellement je me
familiarisai avec leurs désirs, leurs embarras ou
leurs opinions. Il m'arrivait quelquefois
d'entendre des murmures de mécontentement,
mais le plus souvent leurs physionomies et leurs
paroles exprimaient la patience, l'espoir et la sérénité. Et je dois dire à ce sujet que le pauvre, pris
en général, est bien plus philosophe que le riche,
en ce qu'il montre une résignation plus prompte
et plus gaie à ce qu'il considère comme un mal
irrémédiable ou une perte irréparable. Toutes les
fois que j'en trouvais l'occasion, ou que je pouvais
le faire sans paraître indiscret, je me mêlais à eux,
et, à propos du sujet en discussion, je donnais
mon avis, qui, s'il n'était pas toujours judicieux,
était toujours reçu avec bienveillance. Si les
salaires avaient un peu haussé, ou si l'on s'attendait à les voir hausser prochainement, si la livre
de pain était un peu moins chère, ou si le bruit
courait que les oignons et le beurre allaient bientôt baisser, je me sentais heureux; mais si le
contraire arrivait, je tirais de mon opium des
moyens de consolation. Car l'opium (semblable à
l'abeille qui tire indifféremment ses matériaux de
la rose et de la suie des cheminées) possède l'art
d'assujettir tous les sentiments et de les régler à
son diapason. Quelques-unes de ces promenades
m'entraînaient à de grandes distances; car un
mangeur d'opium est trop heureux pour observer
la fuite du temps. Et quelquefois, dans un effort
pour remettre le cap sur mon logis, en fixant,
d'après les principes nautiques, mes yeux sur
l'étoile polaire, cherchant ambitieusement *mon
passage au nord-ouest*, pour éviter de doubler de
nouveau tous les caps et les promontoires que

j'avais rencontrés dans mon premier voyage, j'entrais soudainement dans des labyrinthes de ruelles, dans des énigmes de culs-de-sac, dans des problèmes de rues sans issue, faits pour bafouer le courage des portefaix et confondre l'intelligence des cochers de fiacre. J'aurais pu croire parfois que je venais de découvrir, moi le premier, quelques-unes de ces *terrae incognitae*, et je doutais qu'elles eussent été indiquées sur les cartes modernes de Londres. Mais, au bout de quelques années, j'ai payé cruellement toutes ces fantaisies, *alors que la face humaine est venue tyranniser mes rêves*, et quand mes vagabondages perplexes au sein de l'immense Londres se sont reproduits dans mon sommeil, avec un sentiment de perplexité morale et intellectuelle qui apportait la confusion dans ma maison et l'angoisse et le remords dans ma conscience... »

Ainsi l'opium n'engendre pas, de nécessité, l'inaction ou la torpeur, puisqu'au contraire il jetait souvent notre rêveur dans les centres les plus fourmillants de la vie commune. Cependant les théâtres et les marchés ne sont pas généralement les hantises préférées d'un mangeur d'opium, surtout quand il est dans son état parfait de jouissance. La foule est alors pour lui comme une oppression; la musique elle-même a un caractère sensuel et grossier. Il cherche plutôt la solitude et le silence, comme conditions indispensables de ses extases et de ses rêveries profondes. Si d'abord l'auteur de ces *confessions* s'est jeté dans la foule et dans le courant humain, c'était pour réagir contre un trop vif penchant à la rêverie et à une noire mélancolie, résultat de ses souffrances de jeunesse. Dans les recherches de la science, comme dans la société des hommes, il fuyait une espèce d'hypocondrie. Plus tard, quand sa vraie nature fut rétablie, et que les ténèbres des anciens orages furent dissipées, il crut pouvoir sans danger sacrifier à son goût pour la vie solitaire. Plus d'une fois, il lui est arrivé de passer toute une belle nuit d'été, assis près d'une fenêtre, sans bouger, sans même désirer de changer de place, depuis le coucher jusqu'au lever du soleil; remplissant ses yeux de la vaste perspective de la mer et d'une grande cité, et son esprit, des longues et délicieuses méditations suggérées par ce spectacle. Une grande allégorie naturelle s'étendait alors devant lui :

« La ville, estompée par la brume et les molles lueurs de la nuit, représentait la terre, avec ses chagrins et ses tombeaux, situés loin derrière, mais non totalement oubliés, ni hors de la portée de ma vue. L'Océan, avec sa respiration éternelle, mais couvé par un vaste calme, personnifiait mon esprit et l'influence qui le gouvernait alors. Il me semblait que, pour la première fois, je me tenais à distance et en dehors du tumulte de la vie; que le vacarme, la fièvre et la lutte étaient suspendus; qu'un répit était accordé aux secrètes oppressions de mon cœur; un repos férié; une délivrance de tout travail humain. L'espérance qui fleurit dans les chemins de la vie ne contredisait plus la paix qui habite dans les tombes, les évolutions de mon intelligence me semblaient aussi infatigables que les cieux, et cependant toutes les inquiétudes étaient aplanies par un calme alcyonien; c'était une tranquillité qui semblait le résultat, non pas de l'inertie, mais de l'antagonisme majestueux de forces égales et puissantes; activités infinies, infini repos !

« Ô juste, subtil et puissant opium !... tu possèdes les clefs du paradis !... »

C'est ici que se dressent ces étranges actions de

grâces, élancements de la reconnaissance, que j'ai rapportées textuellement au début de ce travail, et qui pourraient lui servir d'épigraphe. C'est comme le bouquet qui termine la fête. Car bientôt le décor va s'assombrir, et les tempêtes s'amoncelleront dans la nuit.

IV

TORTURES DE L'OPIUM

C'est en 1804 qu'il a fait, pour la première fois, connaissance avec l'opium. Huit années se sont écoulées, heureuses et ennoblies par l'étude. Nous sommes maintenant en 1812. Loin, bien loin d'Oxford, à une distance de deux cent cinquante milles, enfermé dans une retraite au fond des montagnes, que fait maintenant notre héros (certes, il mérite bien ce titre)? Eh mais! il prend de l'opium! Et quoi encore? Il étudie la métaphysique allemande : il lit Kant, Fichte, Schelling. Enseveli dans un petit cottage, avec une seule servante, il voit s'écouler les heures sérieuses et tranquilles. Et pas marié? pas encore. Et toujours de l'opium? chaque samedi soir. Et ce régime a duré impudemment depuis le fameux dimanche pluvieux de 1804? hélas, oui! Mais la santé, après cette longue et régulière débauche? Jamais, dit-il, il ne s'est mieux porté que dans le printemps de 1812. Remarquons que, jusqu'à présent, il n'a été qu'un dilettante, et que l'opium n'est pas encore devenu pour lui une hygiène quotidienne. Les doses ont toujours été modérées et prudemment séparées par un intervalle de quelques jours. Peut-être cette prudence et cette modération avaient-elles retardé l'apparition des terreurs vengeresses. En 1813 commence une ère nouvelle. Pendant l'été précédent un événement douloureux, qu'il ne nous explique pas, avait frappé assez fortement son esprit pour réagir même sur sa santé physique ; dès 1813, il était attaqué d'une effrayante irritation de l'estomac, qui ressemblait étonnamment à celle dont il avait tant souffert dans ses nuits d'angoisse, au fond de la maison du procureur, et qui était accompagnée de tous ses anciens rêves morbides. Voici enfin la grande justification ! À quoi bon s'étendre sur cette crise et en détailler tous les incidents ? La lutte fut longue, les douleurs fatigantes et insupportables, et la délivrance était toujours là, à portée de la main. Je dirais volontiers à tous ceux qui ont désiré un baume, un népenthès, pour des douleurs quotidiennes, troublant l'exercice régulier de leur vie et bafouant tout l'effort de leur volonté, à tous ceux-là, malades d'esprit, malades de corps, je dirais : que celui de vous qui est sans péché, soit d'action, soit d'intention, jette à notre malade la première pierre ! Ainsi, c'est chose entendue ; d'ailleurs, il vous supplie de le croire, quand il commença à prendre de l'opium quotidiennement, il y avait urgence nécessité, fatalité ; vivre autrement n'était pas possible. Et puis, sont-ils donc si nombreux, ces braves qui savent affronter patiemment, avec une énergie renouvelée de minute en minute, la douleur, la torture, toujours présente, jamais fatiguée, en vue d'un bénéfice vague et lointain ? Tel qui semble si courageux et si patient n'a pas eu si grand mérite à vaincre, et tel qui a résisté peu de temps a déployé dans ce peu de temps une vaste énergie méconnue. Les tempéraments humains ne sont-ils pas aussi infiniment variés que les doses chimiques ? « Dans l'état nerveux où je suis, il m'est aussi impossible

de supporter *un moraliste inhumain*, que *l'opium
qu'on n'a pas fait bouillir!* » Voilà une belle sentence, une irréfutable sentence. Il ne s'agit plus de
circonstances atténuantes, mais de circonstances
absolvantes.

Enfin, cette crise de 1813 eut une issue, et cette
issue, on la devine. Demander désormais à notre
solitaire si tel jour il a pris ou n'a pas pris
d'opium, autant s'informer *si ses poumons ont
respiré ce jour-là*, ou *si son cœur a accompli ses
fonctions*. Plus de carême d'opium, plus de rha-
madan, plus d'abstinence! L'opium fait partie de
la vie! Peu de temps avant 1816, l'année la plus
belle, la plus limpide de son existence, nous dit-il,
il était descendu, soudainement et presque sans
effort, de trois cent vingt grains d'opium, c'est-à-
dire huit mille gouttes de laudanum, par jour, à
quarante grains, diminuant ainsi son étrange
nourriture des sept huitièmes. Le nuage de profonde mélancolie qui s'était abaissé sur son cerveau se dissipa en un jour comme par magie,
l'agilité spirituelle reparut, et il put de nouveau
croire au bonheur. Il ne prenait plus que mille
gouttes de laudanum par jour (quelle tempé-
rance!). C'était comme un été de la Saint-Martin
spirituel. Et il relut Kant, et il le comprit ou crut
le comprendre. De nouveau abondait en lui cette
légèreté, cette gaieté d'esprit, — tristes mots pour
traduire l'intraduisible, — également favorable au
travail et à l'exercice de la fraternité. Cet esprit de
bienveillance et de complaisance pour le prochain, disons plus, de charité, qui ressemble un
peu (cela soit insinué sans intention de manquer
de respect à un auteur aussi grave) à la charité
des ivrognes, s'exerça un beau jour, de la manière
la plus bizarre et la plus spontanée, au profit d'un
Malais. — Notez bien ce Malais; nous le rever-

rons plus tard; il reparaîtra, multiplié d'une manière terrible. Car qui peut calculer la force de reflet et de répercussion d'un incident quelconque dans la vie d'un rêveur? Qui peut penser, sans frémir, à l'infini élargissement des cercles dans les ondes spirituelles agitées par une pierre de hasard? — Donc, un jour, un Malais frappe, à la porte de cette retraite silencieuse. Qu'avait à faire un Malais dans les montagnes de l'Angleterre? Peut-être se dirigeait-il vers un port situé à quarante milles de là. La servante, née dans la montagne, qui ne savait pas plus la langue malaise que l'anglais, et qui n'avait jamais vu un turban de sa vie, fut singulièrement épouvantée. Mais, se rappelant que son maître était un savant, et présumant qu'il devait parler toutes les langues de la terre, peut-être même celle de la lune, elle courut le chercher pour le prier d'exorciser le démon qui s'était installé dans la cuisine. C'était un contraste curieux et amusant que celui de ces deux visages se regardant l'un l'autre; l'un, marqué de fierté saxonne, l'autre, de servilité asiatique; l'un, rose et frais; l'autre, jaune et bilieux, illuminé de petits yeux mobiles et inquiets. Le savant, pour sauver son honneur aux yeux de sa servante et de ses voisins, lui parla en grec; le Malais répondit sans doute en malais; ils ne s'entendirent pas, et tout se passa bien. Celui-ci se reposa sur le sol de la cuisine pendant une heure, et puis il fit mine de se remettre en route. Le pauvre Asiatique, s'il venait de Londres à pied, n'avait pas pu, depuis trois semaines, échanger une pensée quelconque avec une créature humaine. Pour consoler les ennuis probables de cette vie solitaire, notre auteur, supposant qu'un homme de ces contrées devait connaître l'opium, lui fit cadeau, avant son départ, d'un gros morceau de la précieuse substance. Peut-on concevoir une manière plus noble d'entendre l'hospitalité ? Le Malais, par l'expression de sa physionomie, montra bien qu'il connaissait l'opium, et il ne fit qu'une bouchée d'un morceau qui aurait pu tuer plusieurs personnes. Il y avait, certes, de quoi inquiéter un esprit charitable ; mais on n'entendit parler dans le pays d'aucun cadavre de Malais trouvé sur la grande route ; cet étrange voyageur était donc suffisamment familiarisé avec le poison, et le résultat désiré par la charité avait été obtenu.

Alors, ai-je dit, le mangeur d'opium était encore heureux ; vrai bonheur de savant et de solitaire amoureux du *confort* : un charmant cottage, une belle bibliothèque, patiemment et délicatement amassée, et l'hiver faisant rage dans la montagne. Une jolie habitation ne rend-elle pas l'hiver plus poétique, et l'hiver n'augmente-t-il pas la poésie de l'habitation ? Le blanc cottage était assis au fond d'une petite vallée fermée de montagnes suffisamment hautes ; il était comme emmailloté d'arbustes qui répandaient une tapisserie de fleurs sur les murs et faisaient aux fenêtres un cadre odorant, pendant le printemps, l'été et l'automne ; cela commençait par l'aubépine et finissait par le jasmin. Mais la belle saison, la saison du bonheur, pour un homme de rêverie et de méditation comme lui, c'est l'hiver, et l'hiver dans sa forme la plus rude. Il y a des gens qui se félicitent d'obtenir du ciel un hiver bénin, et qui sont heureux de le voir partir.

Mais lui, il demande annuellement au ciel autant de neige, de grêle et de gelée qu'il en peut contenir. Il lui faut un hiver canadien, un hiver russe ; il lui en faut pour son argent. Son nid en sera plus chaud, plus doux, plus aimé : les bougies allumées à quatre heures, un bon foyer, de bons tapis, de lourds rideaux ondoyant jusque sur le plancher, une belle faiseuse de thé, et le thé depuis huit heures du soir jusqu'à quatre du matin. Sans hiver, aucune de ces jouissances n'est possible ; *tout* le *confort* exige une température rigoureuse ; cela coûte cher, d'ailleurs ; notre rêveur a donc bien le droit d'exiger que l'hiver paye honnêtement sa dette, comme lui la sienne. Le salon est petit et sert à deux fins. On pourrait plus proprement l'appeler la bibliothèque ; c'est là que sont accumulés cinq mille volumes, achetés un à un, vraie conquête de la patience. Un grand feu brille dans la cheminée ; sur le plateau sont posées deux tasses et deux soucoupes ; car la charitable Électre qu'il nous a fait pressentir embellit le cottage de toute la sorcellerie de ses angéliques sourires. À quoi bon décrire sa beauté ? Le lecteur pourrait croire que cette puissance de lumière est purement physique et appartient au domaine du pinceau terrestre. Et puis, n'oublions pas la fiole de laudanum, une vaste carafe, ma foi ! car nous sommes trop loin des pharmaciens de Londres pour renouveler fréquemment notre provision ; un livre de métaphysique allemande traîne sur la table, qui témoigne des éternelles ambitions intellectuelles du propriétaire. — Paysage de montagnes, retraite silencieuse, luxe ou plutôt bien-être solide, vaste loisir pour la méditation, hiver rigoureux, propre à concentrer les facultés de l'esprit, oui, c'était bien le bonheur, ou plutôt les dernières lueurs du bonheur, une intermittence dans la fatalité, un jubilé dans le malheur ; car nous voici touchant à l'époque funeste où « il faut dire adieu à cette douce béatitude, adieu pour l'hiver comme pour l'été, adieu aux sourires et aux rires, adieu à la paix de l'esprit, adieu à l'espérance et aux rêves paisibles, adieu aux consolations bénies du sommeil! » Pendant plus de trois ans, notre rêveur sera comme un exilé, chassé du territoire du bonheur commun, car il est arrivé maintenant à « *une Iliade de calamités, il est arrivé aux tortures de l'opium.* » Sombre époque, vaste réseau de ténèbres, déchiré à intervalles par de riches et accablantes visions :

C'était comme si un grand peintre eût trempé
Son pinceau dans la noirceur du tremblement
              [de terre et de l'éclipse

Ces vers de Shelley, d'un caractère si solennel et si véritablement miltonien, rendent bien la couleur d'un paysage opiacé, s'il est permis de parler ainsi; c'est bien là le ciel morne et l'horizon imperméable qui enveloppent le cerveau asservi par l'opium. L'infini dans l'horreur et dans la mélancolie, et, plus mélancolique que tout, l'impuissance de s'arracher soi-même au supplice!

Avant d'aller plus loin, notre pénitent (nous pourrions de temps en temps l'appeler de ce nom, bien qu'il appartienne, selon toute apparence, à une classe de pénitents toujours prêts à retomber dans leur péché) nous avertit qu'il ne faut pas chercher un ordre très-rigoureux dans cette partie de son livre, un ordre chronologique du moins. Quand il l'écrivit, il était seul à Londres, incapable de bâtir un récit régulier avec des amas de souvenirs pesants et répugnants, et exilé loin des mains amies qui savaient classer ses papiers et avaient coutume de lui rendre tous les services d'un secrétaire. Il écrit sans précaution, presque sans pudeur désormais, se supposant devant un lecteur indulgent, à quinze ou vingt ans au-delà de l'époque présente; et voulant simplement avant

tout établir un mémoire d'une période désas-
treuse, il le fait avec tout l'effort dont il est encore
capable aujourd'hui, ne sachant trop si plus tard
il en trouvera la force ou l'occasion.

Mais pourquoi, lui dira-t-on, ne pas vous être
affranchi des horreurs de l'opium, soit en l'aban-
donnant, soit en diminuant les doses? Il a fait de
longs et douloureux efforts pour réduire la quantité; mais ceux qui furent témoins de ces lamen-
tables batailles, de ces agonies successives, furent
les premiers à le supplier d'y renoncer. Pourquoi
n'avoir pas diminué la dose d'une goutte par jour,
ou n'en avoir pas atténué la puissance par une
addition d'eau? Il a calculé qu'il lui aurait fallu
plusieurs années pour obtenir par ce moyen une
victoire incertaine. D'ailleurs tous les amateurs
d'opium savent qu'avant de parvenir à un certain
degré, on peut toujours réduire la dose sans difficulté, et même avec plaisir, mais que, cette dose
une fois dépassée, toute réduction cause des douleurs intenses. Mais pourquoi ne pas consentir à
un abattement momentané, de quelques jours? Il
n'y a pas d'abattement; ce n'est pas en cela que
consiste la douleur. La diminution de l'opium
augmente, au contraire, la vitalité; le pouls est
meilleur; la santé se perfectionne; mais il en
résulte une effroyable irritation de l'estomac,
accompagnée de sueurs abondantes et d'une sensation de malaise général, qui naît du manque
d'équilibre entre l'énergie physique et la santé de
l'esprit. En effet, il est facile de comprendre que le
corps, la partie terrestre de l'homme, que l'opium
avait victorieusement pacifiée et réduite à une
parfaite soumission, veuille reprendre ses droits,
pendant que l'empire de l'esprit, qui jusqu'alors
avait été uniquement favorisé, se trouve diminué
d'autant. C'est un équilibre rompu qui veut se

rétablir, et ne peut plus se rétablir sans crise. Même en ne tenant pas compte de l'irritation de l'estomac et des transpirations excessives, il est facile de se figurer l'angoisse d'un homme nerveux, dont la vitalité serait régulièrement réveillée, et l'esprit inquiet et inactif. Dans cette terrible situation, le malade généralement considère le mal comme préférable à la guérison, et donne tête baissée dans sa destinée.

Le mangeur d'opium avait depuis longtemps interrompu ses études. Quelquefois, à la requête de sa femme et d'une autre dame qui venait prendre le thé avec eux, il consentait à lire à haute voix les poésies de Wordsworth. Par accès, il mordait encore momentanément aux grands poètes; mais sa vraie vocation, la philosophie, était complètement négligée. La philosophie et les mathématiques réclament une application constante et soutenue, et son esprit reculait maintenant devant ce devoir journalier avec une intime et désolante conscience de sa faiblesse. Un grand ouvrage, auquel il avait juré de donner toutes ses forces, et dont le titre lui avait été fourni par les *reliquæ* de Spinosa : *De emendatione humani intellectus*, restait sur le chantier, inachevé et pendant, avec la tournure désolée de ces grandes bâtisses entreprises par des gouvernements prodigues ou des architectes imprudents. Ce qui devait être, dans la postérité, la preuve de sa force et de son dévouement à la cause de l'humanité, ne servirait donc que de témoignage de sa faiblesse et de sa présomption. Heureusement l'économie politique lui restait encore, comme un amusement. Bien qu'elle doive être considérée comme une science, c'est-à-dire comme un tout organique, cependant quelques-unes de ses parties intégrantes en peuvent être

détachées et considérées isolément. Sa femme lui
lisait de temps à autre les débats du parlement ou
les nouveautés de la librairie en matière d'économie politique; mais, pour un littérateur profond
et érudit, c'était là une triste nourriture; pour qui-
conque a manié la logique, ce sont les rogatons de
l'esprit humain. Un ami d'Édimbourg cependant
lui envoya en 1819 un livre de Ricardo, et avant
d'avoir achevé le premier chapitre, se rappelant
qu'il avait lui-même prophétisé la venue d'un
législateur de cette science, il s'écriait : « Voilà
l'homme ! » L'étonnement et la curiosité étaient
ressuscités. Mais sa plus grande, sa plus délicieuse surprise était qu'il pût encore s'intéresser à
une lecture quelconque. Son admiration pour
Ricardo en fut naturellement augmentée. Un si
profond ouvrage était-il véritablement né en
Angleterre, au XIX$_e$ siècle ? Car il supposait que
toute pensée était morte en Angleterre. Ricardo
avait d'un seul coup trouvé la loi, créé la base; il
avait jeté un rayon de lumière dans tout ce ténébreux chaos de matériaux où s'étaient perdus ses
devanciers. Notre rêveur tout enflammé, tout
rajeuni, réconcilié avec la pensée et le travail, se
met à écrire, ou plutôt, il dicte à sa compagne. Il
lui semblait que l'œil scrutateur de Ricardo avait
laissé fuir quelques vérités importantes, dont
l'analyse, réduite par les procédés algébriques,
pouvait faire la matière d'un intéressant petit
volume. De cet effort de malade résultèrent les
Prolégomènes pour tous les systèmes futurs
d'économie politique. Il avait fait des arrangements avec un imprimeur de province, demeu-
rant à dix-huit milles de son habitation; on avait
même, dans le but de composer l'ouvrage plus
vite, engagé un compositeur supplémentaire; le
livre avait été annoncé deux fois; mais, hélas ! il

restait une préface à écrire (la fatigue d'une préface!) et une magnifique dédicace à M. Ricardo; quel labeur pour un cerveau débilité par les délices d'une orgie permanente! Ô humiliation d'un auteur nerveux, tyrannisé par l'atmosphère intérieure! L'impuissance se dressa, terrible, infranchissable, comme les glaces du pôle; tous les arrangements furent contremandés, le compositeur congédié, et les *Prolégomènes*, honteux, se couchèrent, pour longtemps, à côté de leur frère aîné, le fameux livre suggéré par Spinosa.

Horrible situation! avoir l'esprit fourmillant d'idées, et ne plus pouvoir franchir le pont qui sépare les campagnes imaginaires de la rêverie des moissons positives de l'action! Si celui qui me lit maintenant a connu les nécessités de la production, je n'ai pas besoin de lui décrire le désespoir d'un noble esprit, clairvoyant, habile, luttant contre cette damnation d'un genre si particulier. Abominable enchantement! Tout ce que j'ai dit sur l'amoindrissement de la volonté dans mon étude sur le haschisch est applicable à l'opium. Répondre à des lettres? travail gigantesque, remis d'heure en heure, de jour en jour, de mois en mois. Affaires d'argent? harassante puérilité. L'économie domestique est alors plus négligée que l'économie politique. Si un cerveau débilité par l'opium était tout entier débilité, si, pour me servir d'une ignoble locution, il était totalement abruti, le mal serait évidemment moins grand, ou du moins plus tolérable. Mais un mangeur d'opium ne perd aucune de ses aspirations morales; il voit le devoir, il l'aime; il veut remplir toutes les conditions du possible; mais sa puissance d'exécution n'est plus à la hauteur de sa conception. Exécuteur! que dis-je? peut-il même essayer? C'est le poids d'un cauchemar écrasant toute la volonté. Notre malheureux devient alors une espèce de Tantale, ardent à aimer son devoir; impuissant à y courir; un esprit, *un pur esprit*, hélas! condamné à désirer ce qu'il ne peut acqué- rir; un brave guerrier, insulté dans ce qu'il a de plus cher et fasciné par une fatalité qui lui ordonne de garder le lit, où il se consume dans une rage impuissante!

Ainsi le châtiment était venu, lent mais terrible. Hélas! ce n'était pas seulement par cette impuis- sance spirituelle qu'il devait se manifester, mais aussi par des horreurs d'une nature plus cruelle et plus positive. Le premier symptôme qui se fit voir dans l'économie physique du mangeur d'opium est curieux à noter. C'est le point de départ, le germe de toute une série de douleurs. Les enfants sont, en général, doués de la singulière faculté d'apercevoir, ou plutôt de créer, sur la toile féconde des ténèbres, tout un monde de visions bizarres. Cette faculté, chez les uns, agit parfois sans leur volonté. Mais quelques autres ont la puissance de les évoquer ou de les congédier à leur gré. Par un cas semblable, notre narrateur s'aperçut qu'il redevenait enfant. Déjà, vers le milieu de 1817, cette dangereuse faculté le tour- mentait cruellement. Couché, mais éveillé, des processions funèbres et magnifiques défilaient devant ses yeux; d'interminables bâtiments se dressaient, d'un caractère antique et solennel. Mais les rêves du sommeil participèrent bientôt des rêves de la veille, et tout ce que son œil évo- quait dans les ténèbres se reproduisit dans son sommeil avec une splendeur inquiétante, insup- portable. Midas changeait en or tout ce qu'il tou- chait, et se sentait martyrisé par cet ironique pri- vilège. De même le mangeur d'opium transformait en réalités inévitables tous les objets de ses rêveries. Toute cette fantasmagorie, si belle et si poétique qu'elle fût en apparence, était accompagnée d'une angoisse profonde et d'une noire mélancolie. Il lui semblait, chaque nuit, qu'il descendait indéfiniment dans des abîmes sans lumière, au delà de toute profondeur connue, sans espérance de pouvoir remonter. Et, même après le réveil, persistait une tristesse, une désespérance voisine de l'anéantissement. Phénomène analogue à quelques-uns de ceux qui se produisent dans l'ivresse du haschisch, le sentiment de l'espace et, plus tard, le sentiment de la durée furent singulièrement affectés. Monuments et paysages prirent des formes trop vastes pour ne pas être une douleur pour l'œil humain. L'espace s'enfla, pour ainsi dire, à l'infini. Mais l'expansion du temps devint une angoisse encore plus vive; les sentiments et les idées qui remplissaient la durée d'une nuit représentaient pour lui la valeur d'un siècle. En outre les plus vulgaires événements de l'enfance, des scènes depuis longtemps oubliées, se reproduisirent dans son cerveau, vivant d'une vie nouvelle. Éveillé, il ne s'en serait peut-être pas souvenu; mais dans le sommeil, il les *reconnaissait* immédiatement. De même que l'homme qui se noie revoit, dans la minute suprême de l'agonie, toute sa vie comme dans un miroir; de même que le damné lit, en une seconde, le terrible compte rendu de toutes ses pensées terrestres; de même que les étoiles voilées par la lumière du jour reparaissent avec la nuit, de même aussi toutes les inscriptions gravées sur la mémoire inconsciente reparurent comme par l'effet d'une encre sympathique.

L'auteur *illustre* les principales caractéristiques de ses rêves par quelques échantillons d'une nature étrange et redoutable; un, entre autre, où par la *logique* particulière qui gouverne les événements du sommeil, deux éléments historiques très-distants se juxtaposent dans son cerveau de la manière la plus bizarre. Ainsi, dans l'esprit enfantin d'un campagnard, une tragédie devient parfois le dénouement de la comédie qui a ouvert le spectacle :

« Dans ma jeunesse, et même depuis, j'ai toujours été un grand liseur de Tite-Live; il a toujours fait un de mes plus chers délassements; j'avoue que je le préfère, pour la matière et pour le style, à tout autre historien romain, et j'ai senti toute l'effrayante et solennelle sonorité, toute l'énergique représentation de la majesté du peuple romain dans ces deux mots qui reviennent si souvent à travers les récits de Tite-Live : *Consul Romanus*, particulièrement quand le consul se présente avec son caractère militaire. Je veux dire que les mots : roi, sultan, régent, ou tous autres titres appartenant aux hommes qui personnifient en eux la majesté d'un grand peuple, n'avaient pas puissance pour m'inspirer le même respect. Bien que je ne sois pas un grand liseur de choses historiques, je m'étais également familiarisé, d'une manière minutieuse et critique, avec une certaine période de l'histoire d'Angleterre, la période de la guerre du Parlement, qui m'avait attiré par la grandeur morale de ceux qui y ont figuré et par les nombreux mémoires intéressants qui ont survécu à ces époques troublées. Ces deux parties de mes lectures de loisir, ayant souvent fourni matière à mes réflexions, fournissaient maintenant une pâture à mes rêves. Il m'est arrivé souvent de voir, pendant que j'étais éveillé, une sorte de répétition de théâtre, se peignant plus tard sur les ténèbres complaisantes, — une foule de dames, — peut-être une fête et des danses. Et j'entendais qu'on disait, ou je me disais à moi-même : « Ce sont les femmes et les filles de ceux qui s'assemblaient dans la paix, qui s'asseyaient aux mêmes tables, et qui étaient alliés par le mariage ou par le sang; et cependant, depuis un certain jour d'août 1642, ils ne se sont plus jamais souri et ne se sont désormais rencontrés que sur les champs de bataille; et à Marston-Moor, à Newbury ou à Naseby, ils ont tranché tous les liens de l'amour avec le sabre cruel, et ils ont effacé avec le sang le souvenir des amitiés anciennes. » Les dames dansaient, et elles semblaient aussi séduisantes qu'à la cour de George IV. Cependant je savais, même dans mon rêve, qu'elles étaient dans le tombeau depuis près de deux siècles. Mais toute cette pompe devait se dissoudre soudainement; à un claquement de mains, se faisaient entendre ces mots dont le son me remuait le cœur : *Consul Romanus!* et immédiatement arrivait, balayant tout devant lui, magnifique dans son manteau de campagne, Paul-Émile ou Marius, entouré d'une compagnie de centurions, faisant hisser la tunique rouge au bout d'une lance, et suivi de l'effrayant hourra des légions romaines. »

D'étonnantes et monstrueuses architectures se dressaient dans son cerveau, semblables à ces constructions mouvantes que l'œil du poëte aperçoit dans les nuages colorés par le soleil couchant. Mais bientôt à ces rêves de terrasses, de cours, de remparts, montant à des hauteurs inconnues et s'enfonçant dans d'immenses profondeurs, succédèrent des lacs et de vastes étendues d'eau. L'eau devint l'élément obsédant. Nous avons déjà noté, dans notre travail sur le haschisch, cette étonnante prédilection du cerveau pour l'élément liquide et pour ses mystérieuses séductions. Ne dirait-on pas qu'il y a une singulière parenté entre ces deux excitants, du moins dans leurs effets sur l'imagination, ou, si l'on préfère cette explication, que le cerveau humain, sous l'empire d'un excitant, s'éprend plus volontiers de certaines images? Les eaux changèrent bientôt de caractère, et les lacs transparents, brillants comme des miroirs, devinrent des mers et des océans. Et puis une métamorphose nouvelle fit de ces eaux magnifiques, inquiétantes seulement par leur fréquence et par leur étendue, un affreux tourment. Notre auteur avait trop aimé la foule, s'était trop délicieusement plongé dans les mers de la multitude, pour que la face humaine ne prît pas dans ses rêves une part despotique. Et alors se manifesta ce qu'il a déjà appelé, je crois, *la tyrannie de la face humaine*. « Alors sur les eaux mouvantes de l'Océan commença à se montrer le visage de l'homme; la mer m'apparut pavée d'innombrables têtes tournées vers le ciel; des visages furieux, suppliants, désespérés, se mirent à danser à la surface, par milliers, par myriades, par générations, par siècles; mon agitation devint infinie, et mon esprit bondit et roula comme les lames de l'Océan. »

Le lecteur a déjà remarqué que depuis longtemps l'homme n'évoque plus les images, mais que les images s'offrent à lui, spontanément, despotiquement. Il ne peut pas les congédier; car la volonté n'a plus de force et ne gouverne plus les facultés. La mémoire poétique, jadis source infinie de jouissances, est devenue un arsenal inépuisable d'instruments de supplices.

En 1818, le Malais dont nous avons parlé le tourmentait cruellement; c'était un visiteur insupportable. Comme l'espace, comme le temps, le Malais s'était multiplié. Le Malais était devenu

l'Asie elle-même; l'Asie antique, solennelle, monstrueuse et compliquée comme ses temples et ses
religions; où tout, depuis les aspects les plus ordinaires de la vie jusqu'aux souvenirs classiques et
grandioses qu'elle comporte, est fait pour
confondre et stupéfier l'esprit d'un Européen. Et
ce n'était pas seulement la Chine, bizarre et artifi-
cielle, prodigieuse et vieillotte comme un conte de
fées, qui opprimait son cerveau. Cette image
appelait naturellement l'image voisine de l'Inde, si
mystérieuse et si inquiétante pour un esprit de
l'Occident; et puis la Chine et l'Inde formaient
bientôt avec l'Égypte une triade menaçante, un
cauchemar complexe, aux angoisses variées. Bref,
le Malais avait évoqué tout l'immense et fabuleux
Orient. Les pages suivantes sont trop belles pour
que je les abrège :

« J'étais chaque nuit transporté par cet homme
au milieu de tableaux asiatiques. Je ne sais si
d'autres personnes partagent mes sentiments en
ce point; mais j'ai souvent pensé que, si j'étais
forcé de quitter l'Angleterre et de vivre en Chine,
parmi les modes, les manières et les décors de la
vie chinoise, je deviendrais fou. Les causes de
mon horreur sont profondes, et quelques-unes
doivent être communes à d'autres hommes.
L'Asie méridionale est en général un siège
d'images terribles et de redoutables associations
d'idées; seulement, comme berceau du genre
humain, elle doit exhaler je ne sais quelle vague
sensation d'effroi et de respect. Mais il existe
d'autres raisons. Aucun homme ne prétendra que
les étranges, barbares et capricieuses supersti-
tions de l'Afrique, ou des tribus sauvages de toute
autre contrée, puissent l'effectuer de la même
manière que les vieilles, monumentales, cruelles
et compliquées religions de l'Indoustan. L'anti-

quité des choses de l'Asie, de ses institutions, de
ses annales, des modes de sa foi, a pour moi quelque chose de si frappant, la vieillesse de la race et
des noms, quelque chose de si dominateur, qu'elle
suffit pour annihiler la jeunesse de l'individu. Un
jeune Chinois m'apparaît comme un homme
antédiluvien renouvelé. Les Anglais eux-mêmes,
bien qu'ils n'aient pas été nourris dans la connaissance de pareilles institutions, ne peuvent s'empêcher de frissonner devant la mystique sublimité
de ces castes, qui ont suivi chacune un cours à
part, et ont refusé de mêler leurs eaux pendant
des périodes de temps immémoriales. Aucun
homme ne peut ne pas être pénétré de respect par
les noms du Gange et de l'Euphrate. Ce qui ajoute
beaucoup à de tels sentiments, c'est que l'Asie
méridionale est et a été, depuis des milliers
d'années, la partie de la terre la plus fourmillante
de vie humaine, la grande *officina gentium*.
L'homme, dans ces contrées, pousse comme
l'herbe. Les vastes empires, dans lesquels a toujours été moulée la population énorme de l'Asie,
ajoutent une grandeur de plus aux sentiments que
comportent les images et les noms orientaux. En
Chine surtout, négligeant ce qu'elle a de commun
avec le reste de l'Asie méridionale, je suis terrifié
par les modes de la vie, par les usages, par une
répugnance absolue, par une barrière des sentiments qui nous séparent d'elle et qui sont trop
profonds pour être analysés. Je trouverais plus
commode de vivre avec des lunatiques ou avec
des brutes. Il faut que le lecteur entre dans toutes
ces idées et dans bien d'autres encore, que je ne
puis dire ou que je n'ai pas le temps d'exprimer,
pour comprendre toute l'horreur qu'imprimaient
dans mon esprit ces rêves d'imagerie orientale et
de tortures mythologiques.

« Sous les deux conditions connexes de chaleur tropicale et de lumière verticale, je ramassais toutes les créatures, oiseaux, bêtes, reptiles, arbres et plantes, usages et spectacles, que l'on trouve communément dans toute la région des tropiques, et je les jetais pêle-mêle en Chine ou dans l'Indoustan. Par un sentiment analogue, je m'emparais de l'Égypte et de tous ses dieux, et les faisais entrer sous la même loi. Des singes, des perroquets, des kakatoès me regardaient fixement, me huaient, me faisaient la grimace, ou jacassaient sur mon compte. Je me sauvais dans des pagodes, et j'étais, pendant des siècles, fixé au sommet, ou enfermé dans des chambres secrètes. J'étais l'idole, j'étais le prêtre ; j'étais adoré ; j'étais sacrifié. Je fuyais la colère de Brahma à travers toutes les forêts de l'Asie ; Vishnû me haïssait ; Siva me tendait une embûche. Je tombais soudainement chez Isis et Osiris ; j'avais fait quelque chose, disait-on, j'avais commis un crime qui faisait frémir l'ibis et le crocodile. J'étais enseveli, pendant un millier d'années, dans des bières de pierre, avec des momies et des sphinx, dans les cellules étroites au cœur des éternelles pyramides. J'étais baisé par des crocodiles aux baisers cancéreux ; et je gisais, confondu avec une foule de choses inexprimables et visqueuses, parmi les boues et les roseaux du Nil.

« Je donne ainsi au lecteur un léger extrait de mes rêves orientaux, dont le monstrueux théâtre me remplissait toujours d'une telle stupéfaction que l'horreur elle-même y semblait pendant quelque temps absorbée. Mais tôt ou tard se produisait un reflux de sentiments où l'étonnement à son tour était englouti, et qui me livrait non pas tant à la terreur qu'à une sorte de haine et d'abomination pour tout ce que je voyais. Sur chaque

être, sur chaque forme, sur chaque menace, punition, incarcération ténébreuse, planait un sentiment d'éternité et d'infini qui me causait
l'angoisse et l'oppression de la folie. Ce n'était que
dans ces rêves-là, sauf une ou deux légères exceptions, qu'entraient les circonstances de l'horreur
physique. Mes terreurs jusqu'alors n'avaient été
que morales et spirituelles. Mais ici les agents
principaux étaient de hideux oiseaux, des serpents ou des crocodiles, principalement ces derniers. Le crocodile maudit devint pour moi l'objet
de plus d'horreur que presque tous les autres.
J'étais forcé de vivre avec lui, hélas! (c'était toujours ainsi dans mes rêves) pendant des siècles. Je
m'échappais quelquefois, et je me trouvais dans
des maisons chinoises meublées de tables en
roseau. Tous les pieds des tables et des canapés
semblaient doués de vie; l'abominable tête du
crocodile, avec ses petits yeux obliques, me regardait partout, de tous les côtés, multipliée par des
répétitions innombrables; et je restais là, plein
d'horreur et fasciné. Et ce hideux reptile hantait si
souvent mon sommeil que, bien des fois, le même
rêve a été interrompu de la même façon; j'entendais de douces voix qui me parlaient (j'entends
tout, même quand je suis assoupi), et immédiatement je m'éveillais. Il était grand jour, plein midi,
et mes enfants se tenaient debout, la main dans la
main, à côté de mon lit; ils venaient me montrer
leurs souliers de couleur, leurs habits neufs, me
faire admirer leur toilette avant d'aller à la promenade. J'affirme que la transition du maudit crocodile et des autres monstres et inexprimables avor-
tons de mes rêves à ces innocentes créatures, à
cette simple enfance *humaine*, était si terrible,
que, dans la puissante et soudaine révulsion de
mon esprit, je pleurais, sans pouvoir m'en empêcher, en baisant leurs visages. »

Le lecteur attend peut-être, dans cette galerie d'impressions anciennes répercutées sur le sommeil, la figure mélancolique de la pauvre Ann. À son tour, la voici. L'auteur a remarqué que la mort de ceux qui nous sont chers, et généralement la contemplation de la mort, affecte bien plus notre âme pendant l'été que dans les autres saisons de l'année. Le ciel y paraît plus élevé, plus lointain, plus infini. Les nuages, par lesquels l'œil apprécie la distance du pavillon céleste, y sont plus volumineux et accumulés par masses plus vastes et plus solides, la lumière et les spectacles du soleil à son déclin sont plus en accord avec le caractère de l'infini. Mais la principale raison, c'est que la prodigalité exubérante de la vie estivale fait un contraste plus violent avec la stérilité glacée du tombeau. D'ailleurs, deux idées qui sont en rapport d'antagonisme s'appellent réciproquement, et l'une suggère l'autre. Aussi l'auteur nous avoue que, dans les interminables journées d'été, il lui est difficile de ne pas penser à la mort ; et l'idée de la mort d'une personne connue ou chérie assiège son esprit plus obstinément pendant la saison splendide. Il lui sembla, un jour, qu'il était debout à la porte de son cottage ; c'était (dans son rêve) un dimanche matin du mois de mai, un dimanche de Pâques, ce qui ne contredit en rien l'almanach des rêves. Devant lui s'étendait le paysage connu, mais agrandi, mais solennisé par la magie du sommeil. Les montagnes étaient plus élevées que les Alpes, et les prairies et les bois, situés à leurs pieds, infiniment plus étendus ; les haies, parées de roses blanches. Comme c'était de fort grand matin, aucune créature vivante ne se faisait voir, excepté les bestiaux qui se reposaient dans le cimetière sur des tombes verdoyantes, et particulièrement autour de la sépulture d'un enfant qu'il avait tendrement chéri (cet enfant avait été réellement enseveli ce même été; et un matin, avant le lever du soleil, l'auteur avait réellement vu ces animaux se reposer auprès de cette tombe). Il se dit alors : « Il y a encore assez long-temps à attendre avant le lever du soleil; c'est aujourd'hui dimanche de Pâques; c'est le jour où l'on célèbre les premiers fruits de la résurrection. J'irai me promener dehors; j'oublierai aujourd'hui mes vieilles peines; l'air est frais et calme; les montagnes sont hautes et s'étendent au loin vers le ciel; les clairières de la forêt sont aussi paisibles que le cimetière; la rosée lavera la fièvre de mon front, et ainsi je cesserai enfin d'être mal-heureux. » Et il allait ouvrir la porte du jardin, quand le paysage, à gauche, se transforma. C'était bien toujours un dimanche de Pâques, de grand matin; mais le décor était devenu oriental. Les coupoles et les dômes d'une grande cité dente-laient vaguement l'horizon (peut-être était-ce le souvenir de quelque image d'une Bible contem-plée dans l'enfance). Non loin de lui, sur une pierre, et ombragée par les palmiers de Judée, une femme était assise. C'était Ann !

« Elle tint ses yeux fixés sur moi avec un regard intense, et je lui dis, à la longue : "Je vous ai donc enfin retrouvée !" J'attendais; mais elle ne me répondit pas un mot. Son visage était le même que quand je le vis pour la dernière fois, et pour-tant, combien il était différent ! Dix-sept ans aupa-ravant, quand la lueur du réverbère tombait sur son visage, quand pour la dernière fois je baisai ses lèvres (tes lèvres, Ann, qui pour moi ne por-taient aucune souillure), ses yeux ruisselaient de larmes; mais ses larmes étaient maintenant séchées; elle semblait plus belle qu'elle n'était à cette époque, mais d'ailleurs en tous points la même, et elle n'avait pas vieilli. Ses regards étaient tranquilles, mais doués d'une singulière solennité d'expression, et je la contemplais alors avec une espèce de crainte. Tout à coup, sa physionomie s'obscurcit; me tournant du côté des montagnes, j'aperçus des vapeurs qui roulaient entre nous deux; en un instant tout s'était évanoui; d'épaisses ténèbres arrivèrent; et en un clin d'œil je me trouvai loin, bien loin des montagnes, me promenant avec Ann à la lueur des réverbères d'Oxford-street, juste comme nous nous promenions dix-sept ans auparavant, quand nous étions, elle et moi, deux enfants. »

L'auteur cite encore un spécimen de ses conceptions morbides, et ce dernier rêve (qui date de 1820) est d'autant plus terrible qu'il est plus vague, d'une nature plus insaisissable, et que, tout pénétré qu'il soit d'un sentiment poignant, il se présente dans le décor mouvant, élastique, de l'indéfini. Je désespère de rendre convenablement la magie du style anglais :

« Le rêve commençait par une musique que j'entends souvent dans mes rêves, une musique préparatoire, propre à réveiller l'esprit et à le tenir en suspens; une musique semblable à l'ouverture du service du couronnement, et qui, comme celle-ci, donnait l'impression d'une vaste marche, d'une défilade infinie de cavalerie et d'un piétinement d'armées innombrables. Le matin d'un jour solennel était arrivé, — d'un jour de crise et d'espérance finale pour la nature humaine, subissant alors quelque mystérieuse éclipse et travaillée par quelque angoisse redoutable. Quelque part, je ne sais pas où, — d'une manière ou d'une autre, je ne savais pas comment, par n'importe quels êtres, je ne les connaissais pas, — une bataille, une lutte était

livrée, — une agonie était subie, — qui se déve-
loppait comme un grand drame ou un morceau
de musique ; — et la sympathie que j'en ressen-
tais me devenait un supplice à cause de mon
incertitude du lieu, de la cause, de la nature et
du résultat possible de l'affaire. Ainsi qu'il arrive
d'ordinaire dans les rêves, où nécessairement
nous faisons de nous-mêmes le centre de tout
mouvement, j'avais le pouvoir, et cependant je
n'avais pas le pouvoir de la décider ; j'avais la
puissance, pourvu que je pusse me hausser
jusqu'à vouloir, et néanmoins, je n'avais pas
cette puissance, à cause que j'étais accablé sous
le poids de vingt Atlantiques ou sous l'oppression d'un crime inexpiable. *Plus profondément
que jamais n'est descendu le plomb de la sonde*, je
gisais immobile, inerte. Alors, comme un
chœur, la passion prenait un son plus profond.
Un très-grand intérêt était en jeu, une cause
plus importante que jamais n'en plaida l'épée ou
n'en proclama la trompette. Puis arrivaient de
soudaines alarmes ; çà et là des pas précipités ;
des épouvantes de fugitifs innombrables. Je ne
savais pas s'ils venaient de la bonne cause ou de
la mauvaise : — ténèbres et lumières ; — tempêtes et faces humaines ; — et à la fin, avec le
sentiment que tout était perdu, paraissaient des
formes de femmes, des visages que j'aurais
voulu reconnaître, au prix du monde entier, et
que je ne pouvais entrevoir qu'un seul instant ;
— et puis des mains crispées, des séparations à
déchirer le cœur ; — et puis des adieux éternels !
et avec un soupir comme celui que soupirèrent
les cavernes de l'enfer, quand la mère inces-
tueuse proféra le nom abhorré de la Mort, le son
était répercuté : Adieux éternels ! et puis, et puis
encore, et délicate qui ne fleurit généralement

que dans le d'écho en écho, répercuté : —
Adieux éternels !

« Et je m'éveillais avec des convulsions, et je
criais à haute voix : Non ! je ne veux plus dormir ! »

V

UN FAUX DÉNOUEMENT

De Quincey a singulièrement écourté la fin de
son livre, tel du moins qu'il parut primitivement.
Je me rappelle que la première fois que je le lus, il
y a de cela bien des années (et je ne connaissais
pas la deuxième partie, *Suspiria de profundis*, qui
d'ailleurs n'avait pas paru), je me disais de temps
à autre : Quel peut être le dénouement d'un pareil
livre ? La mort ? la folie ? Mais l'auteur, parlant
sans cesse en son nom personnel, est resté évidemment dans un état de santé, qui, s'il n'est pas
tout à fait normal et excellent, lui permet néanmoins de se livrer à un travail littéraire. Ce qui me
paraissait le plus probable, c'était le *statu quo* ;
c'était qu'il s'accoutumât à ses douleurs, qu'il prît
son parti sur les effets redoutables de sa bizarre
hygiène ; et enfin je me disais : Robinson peut à la
fin sortir de son île ; un navire peut aborder à un
rivage, si inconnu qu'il soit, et en ramener l'exilé
solitaire ; mais quel homme peut sortir de
l'empire de l'opium ? Ainsi, continuais-je en moi-
même, ce livre singulier, confession véridique ou
pure conception de l'esprit (cette dernière hypo-
thèse étant tout à fait improbable à cause de
l'atmosphère de vérité qui plane sur tout
l'ensemble et de l'accent inimitable de sincérité

qui accompagne chaque détail), est un livre sans
dénouement. Il y a évidemment des livres, comme
des aventures, sans dénouement. Il y a des situa-
tions éternelles ; et tout ce qui a rapport à l'irrémédiable, à l'irréparable, rentre dans cette catégo-
rie. Cependant je me souvenais que le *mangeur
d'opium* avait annoncé quelque part, au commencement, qu'il avait réussi finalement à *dénouer,
anneau par anneau, la chaîne maudite qui liait
tout son être*. Donc le dénouement était pour moi
tout à fait inattendu, et j'avouerai franchement
que, quand je le connus, malgré tout son appareil
de minutieuse vraisemblance, je m'en défiai ins-
tinctivement. J'ignore si le lecteur partagera mon
impression à cet égard ; mais je dirai que la
manière subtile, ingénieuse, par laquelle l'infortuné sort du labyrinthe enchanté où il est perdu
par sa faute, me parut une invention en faveur
d'un certain *cant* britannique, un sacrifice où la
vérité était immolée en l'honneur de la pudeur et
des préjugés publics. Rappelez-vous combien de
précautions il a prises avant de commencer le
récit de son *Iliade de maux*, et avec quel soin il a
établi le droit de faire des *confessions*, même *pro-
fitables*. Tel peuple veut des dénouements
moraux, et tel autre des dénouements *consolants*.
Ainsi les femmes, par exemple, ne veulent pas que
les méchants soient récompensés. Que dirait le
public de nos théâtres, s'il ne trouvait pas, à la fin
du cinquième acte, la catastrophe voulue par la
justice, qui rétablit l'équilibre normal, ou plutôt
utopique, entre toutes les parties, — cette catastrophe équitable attendue impatiemment pendant quatre longs actes ? Bref, je crois que le
public n'aime pas les *impénitents*, et qu'il les
considère volontiers comme des *insolents*. De
Quincey a peut-être pensé de même, et il s'est mis

en règle. Si ces pages, écrites plus tôt, étaient par hasard tombées sous ses yeux, j'imagine qu'il aurait daigné complaisamment sourire de ma défiance précoce et motivée; en tout cas, je m'appuie sur son texte, si sincère en toute autre occasion et si pénétrant, et je pourrais déjà annoncer ici une certaine *troisième prostration devant la noire idole* (ce qui implique une deuxième) dont nous aurons à parler plus tard.

Quoi qu'il en soit, voici ce dénouement. Depuis longtemps, l'opium ne faisait plus sentir son empire par des enchantements, mais par des tortures, et ces tortures (ce qui est parfaitement croyable et en accord avec toutes les expériences relatives à la difficulté de rompre de vieilles habitudes, de quelque nature qu'elles soient) avaient commencé avec les premiers efforts pour se débarrasser de ce tyran journalier. Entre deux agonies, l'une venant de l'usage continué, l'autre de l'hygiène interrompue, l'auteur préféra, nous dit-il, celle qui impliquait une chance de déli-vrance. « Combien prenais-je d'opium à cette épo-que, je ne saurais le dire; car l'opium dont j'usais avait été acheté par un mien ami, qui plus tard ne voulut pas être remboursé; de sorte que je ne peux pas déterminer quelle quantité j'absorbai dans l'espace d'une année. Je crois néanmoins que j'en prenais très-irrégulièrement, et que je variais la dose de cinquante ou soixante grains à cent cinquante par jour. Mon premier soin fut de la réduire à quarante, à trente, et enfin, aussi souvent que je le pouvais, à douze grains. » Il ajoute que parmi différents spécifiques dont il essaya, le seul dont il tira profit fut la teinture ammoniacale de valériane. Mais à quoi bon (c'est lui qui parle) continuer ce récit de la convales-cence et de la guérison? Le but du livre était de

montrer le merveilleux pouvoir de l'opium soit
pour le plaisir, soit pour la douleur ; le livre est
donc fini. La morale du récit s'adresse seulement
aux mangeurs d'opium. Qu'ils apprennent à trem-
bler, et qu'ils sachent, par cet exemple extraordinaire, que l'on peut, après dix-sept années d'usage
et huit années d'abus de l'opium, renoncer à cette
substance. Puissent-ils, ajoute-t-il, développer
plus d'énergie dans leurs efforts et atteindre finalement le même succès !

« Jérémie Taylor conjecture qu'il est peut-être
aussi douloureux de naître que de mourir. Je
crois cela fort probable ; et durant la longue période consacrée à la diminution de l'opium,
j'éprouvai toutes les tortures d'un homme qui
passe d'un mode d'existence à un autre. Le résultat ne fut pas la mort, mais une sorte de renais-
sance physique... Il me reste encore comme un
souvenir de mon premier état ; mes rêves ne sont
pas parfaitement calmes ; la redoutable turges-
cence et l'agitation de la tempête ne sont pas
entièrement apaisées ; les légions dont mes songes
étaient peuplés se retirent, mais ne sont pas
toutes parties ; mon sommeil est tumultueux, et,
pareil aux portes du Paradis quand nos premiers
parents se retournèrent pour les contempler, il est
toujours, comme dit le vers effrayant de Milton :

Encombré de faces menaçantes et de bras
                                    [flamboyants. »

L'appendice (qui date de 1822) est destiné à
corroborer plus minutieusement la vraisemblance de ce dénouement, à lui donner pour ainsi
dire une rigoureuse physionomie médicale. Être
descendu d'une dose de huit mille gouttes à une
dose modérée variant de trois cents à cent

soixante était certainement un assez magnifique triomphe. Mais l'effort qui restait à faire demandait encore plus d'énergie que l'auteur ne s'y attendait, et la nécessité de cet effort devint de plus en plus manifeste. Il s'aperçut particulièrement d'un certain endurcissement, d'un manque de sensibilité dans l'estomac, qui semblait présager quelque affection squirreuse. Le médecin affirma que la continuation de l'usage de l'opium, quoique en doses réduites, pouvait amener un pareil résultat. Dès lors, serment d'abjurer l'opium, de l'abjurer absolument. Le récit de ses efforts, de ses hésitations, des douleurs physiques résultant des premières victoires de la volonté, est vraiment intéressant. Il y a des diminutions progressives ; deux fois il arrive à zéro ; puis ce sont des rechutes, rechutes où il compense largement les abstinences précédentes. En somme, l'expérience des six premières semaines donna pour résultat une effroyable irritabilité dans tout le système, particulièrement dans l'estomac, qui parfois revenait à un état de vitalité normale, et d'autres fois souffrait étrangement ; une agitation qui ne cessait ni jour ni nuit ; un sommeil (quel sommeil !) de trois heures au plus sur vingt-quatre, et si léger qu'il entendait les plus petits bruits autour de lui ; la mâchoire inférieure constamment enflée ; des ulcérations de la bouche, et, parmi d'autres symptômes plus ou moins déplorables, de violents éternuements, qui, d'ailleurs, ont toujours accompagné ses tentatives de rébellion contre l'opium (cette espèce nouvelle d'infirmité durait quelquefois deux heures et revenait deux ou trois fois par jour) ; de plus, une sensation de froid, et enfin un rhume effroyable, ce qui ne s'était jamais produit sous l'empire de l'opium. Par l'usage des amers, il est parvenu à

ramener l'estomac à l'état normal, c'est-à-dire à
perdre, comme les autres hommes, la conscience
des opérations de la digestion. Le quarante-
deuxième jour, tous ces symptômes alarmants
disparurent enfin pour faire place à d'autres ;
mais il ne sait si ceux-là sont des conséquences de
l'ancien abus ou de la suppression de l'opium.
Ainsi la transpiration abondante qui, même vers
la Noël, accompagnait toute réduction journalière
de la dose, avait, dans la saison la plus chaude de
l'année, complètement cessé. Mais d'autres souffrances physiques peuvent être attribuées à la
température pluvieuse de juillet dans la partie de
l'Angleterre où était située son habitation.

L'auteur pousse le soin (toujours pour venir en
aide aux infortunés qui pourraient se trouver
dans le même cas que lui) jusqu'à nous donner un
tableau synoptique, dates et quantités en regard,
des cinq premières semaines pendant lesquelles il
commença à mener à bien sa glorieuse tentative.
On y voit de terribles rechutes, comme de zéro à
200, 300, 350. Mais peut-être bien la descente fut-
elle trop rapide, mal graduée, donnant ainsi naissance à des souffrances superflues, lesquelles le
contraignaient quelquefois à chercher un secours
dans la source même du mal.

Ce qui m'a toujours confirmé dans l'idée que ce
dénouement était *artificiel*, au moins en partie,
c'est un certain ton de raillerie, de badinage et
même de persiflage qui règne dans plusieurs
endroits de cet appendice. Enfin, pour bien montrer qu'il ne donne pas à son misérable corps cette
fanatique attention des valétudinaires, qui
passent leur temps à s'observer eux-mêmes,
l'auteur appelle sur ce corps, sur cette méprisable
« guenille », ne fût-ce que pour la punir de l'avoir
tant tourmenté, les traitements déshonorants que

la loi inflige aux pires malfaiteurs ; et si les médecins de Londres croient que la science peut tirer
quelque bénéfice de l'analyse du corps d'un mangeur d'opium aussi obstiné qu'il le fut, il leur
lègue bien volontiers le sien. Certaines personnes
riches de Rome commettaient l'imprudence,
après avoir fait un legs au prince, de *s'obstiner à
vivre*, comme dit plaisamment Suétone, et le
César, qui avait bien voulu accepter le legs, se
trouvait gravement offensé par ces existences
indiscrètement prolongées. Mais le *mangeur
d'opium* ne redoute pas de la part des médecins
de choquantes marques d'impatience. Il sait
qu'on ne peut attendre d'eux que des sentiments
analogues aux siens, c'est-à-dire répondant à ce
pur amour de la science qui le pousse lui-même à
leur faire ce don funèbre de sa précieuse
dépouille. Puisse ce legs n'être remis que dans un
temps infiniment reculé ; puisse ce pénétrant écrivain, ce malade charmant jusque dans ses moque-
ries, nous être conservé plus longtemps encore
que le fragile Voltaire, qui mit, comme on a dit,
quatre-vingt-quatre ans à mourir !

VI

LE GÉNIE ENFANT

Les *Confessions* datent de 1822, et les *Suspiria*,
qui font leur suite et qui les complètent, ont été
écrits en 1845. Aussi le ton en est-il, sinon tout à
fait différent, du moins plus grave, plus triste,
plus résigné. En parcourant mainte et mainte fois
ces pages singulières, je ne pouvais m'empêcher
de rêver aux différentes métaphores dont se
servent les poëtes pour peindre l'homme revenu
des batailles de la vie; c'est le vieux marin au dos
voûté, au visage couturé d'un lacis inextricable de
rides, qui réchauffe à son foyer une héroïque carcasse échappée à mille aventures; c'est le voyageur qui se retourne le soir vers les campagnes
franchies le matin, et qui se souvient, avec attendrissement et tristesse, des mille fantaisies dont
était possédé son cerveau pendant qu'il traversait
ces contrées, maintenant vaporisées en horizons.
C'est ce que d'une manière générale j'appellerais
volontiers le ton du *revenant*; accent, non pas surnaturel, mais presque étranger à l'humanité, moitié terrestre et moitié extra-terrestre, que nous
trouvons quelquefois dans les *Mémoires d'outre-
tombe*, quand, la colère ou l'orgueil blessé se tai-
sant, le mépris du grand René pour les choses de
la terre devient tout à fait désintéressé.

L'*Introduction* des *Suspiria* nous apprend qu'il y a eu pour le mangeur d'opium, malgré tout l'héroïsme développé dans sa patiente guérison, une seconde et une troisième rechute. C'est ce qu'il appelle *a third prostration before the dark idol*. Même en omettant les raisons physiologiques qu'il allègue pour son excuse, comme de n'avoir pas assez prudemment gouverné son abstinence, je crois que ce malheur était facile à prévoir. Mais cette fois il n'est plus question de lutte ni de révolte. La lutte et la révolte impliquent toujours une certaine quantité d'espérance, tandis que le désespoir est muet. Là où il n'y a pas de remède, les plus grandes souffrances se résignent. Les portes, jadis ouvertes pour le retour, se sont refermées, et l'homme marche avec docilité dans sa destinée. *Suspiria de profundis!* Ce livre est bien nommé.

L'auteur n'insiste plus pour nous persuader que les *Confessions* avaient été écrites, en partie du moins, dans un but de santé publique. Elles se donnaient pour objet, nous dit-il franchement, de montrer quelle puissance a l'opium pour augmenter la faculté naturelle de rêverie. Rêver magnifiquement n'est pas un don accordé à tous les hommes, et, même chez ceux qui le possèdent, il risque fort d'être de plus en plus diminué par la dissipation moderne toujours croissante et par la turbulence du progrès matériel. La faculté de rêverie est une faculté divine et mystérieuse; car c'est par le rêve que l'homme communique avec le monde ténébreux dont il est environné. Mais cette faculté a besoin de solitude pour se développer librement; plus l'homme se concentre, plus il est apte à rêver amplement, profondément. Or, quelle solitude est plus grande, plus calme, plus séparée du monde des intérêts terrestres que celle créée par l'opium?

Les *Confessions* nous ont raconté les accidents de jeunesse qui avaient pu légitimer l'usage de l'opium. Mais il existe ici jusqu'à présent deux lacunes importantes, l'une comprenant les rêveries engendrées par l'opium pendant le séjour de l'auteur à l'Université (c'est ce qu'il appelle ses *Visions d'Oxford*); l'autre, le récit de ses impressions d'enfance. Ainsi, dans la deuxième partie comme dans la première, la biographie servira à expliquer et à *vérifier*, pour ainsi dire, les mystérieuses aventures du cerveau. C'est dans les notes relatives à l'enfance que nous trouverons le germe des étranges rêveries de l'homme adulte, et, disons mieux, de son génie. Tous les biographes ont compris, d'une manière plus ou moins complète, l'importance des anecdotes se rattachant à l'enfance d'un écrivain ou d'un artiste. Mais je trouve que cette importance n'a jamais été suffisamment affirmée. Souvent, en contemplant des ouvrages d'art, non pas dans leur *matérialité* facilement saisissable, dans les hiéroglyphes trop clairs de leurs contours ou dans le sens évident de leurs sujets, mais dans l'âme dont ils sont doués, dans l'impression atmosphérique qu'ils comportent, dans la lumière ou dans les ténèbres spirituelles qu'ils déversent sur nos âmes, j'ai senti entrer en moi comme une vision de l'enfance de leurs auteurs. Tel petit chagrin, telle petite jouissance de l'enfant, démesurément grossis par une exquise sensibilité, deviennent plus tard dans l'homme adulte, même à son insu, le principe d'une œuvre d'art. Enfin, pour m'exprimer d'une manière plus concise, ne serait-il pas facile de prouver, par une comparaison philosophique entre les ouvrages d'un artiste mûr et l'état de son âme quand il était enfant, que le génie n'est que l'enfance nettement formulée, douée maintenant, pour s'exprimer d'organes virils et puissants ? Cependant je n'ai pas la prétention de livrer cette idée à la physiologie pour quelque chose de mieux qu'une pure conjecture.

Nous allons donc analyser rapidement les principales impressions d'enfance du mangeur d'opium, afin de rendre plus intelligibles les rêveries qui, à Oxford, faisaient la pâture ordinaire de son cerveau. Le lecteur ne doit pas oublier que c'est un vieillard qui raconte son enfance, un vieillard qui, rentrant dans son enfance, raisonne toutefois avec subtilité, et qu'enfin cette enfance, principe des rêveries postérieures, est revue et considérée à travers le milieu magique de cette rêverie, c'est-à-dire les épaisseurs transparentes de l'opium.

VII

CHAGRINS D'ENFANCE

Lui et ses trois sœurs étaient fort jeunes quand
leur père mourut, laissant à leur mère une abondante fortune, une véritable fortune de négociant
anglais. Le luxe, le bien-être, la vie large et magnifique sont des conditions très-favorables au développement de la sensibilité naturelle de l'enfant.
« N'ayant pas d'autres camarades que trois innocentes petites sœurs, dormant même toujours
avec elles enfermé dans un beau et silencieux jardin, loin de tous les spectacles de la pauvreté, de
l'oppression et de l'injustice, je ne pouvais pas,
dit-il, soupçonner la véritable complexion de ce
monde. » Plus d'une fois il a remercié la Providence pour ce privilège incomparable, non-seulement d'avoir été élevé à la campagne et dans la
solitude, « mais encore d'avoir eu ses premiers
sentiments modelés par les plus douces des
sœurs, et non par d'horribles frères toujours prêts
aux coups de poing, *horrid pugilistic brothers.* »
En effet, les hommes qui ont été élevés par les
femmes et parmi les femmes ne ressemblent pas
tout à fait aux autres hommes, en supposant
même l'égalité dans le tempérament ou dans les
facultés spirituelles. Le bercement des nourrices,
les câlineries maternelles, les chatteries des

sœurs, surtout des sœurs aînées, espèce de mères
diminutives, transforment, pour ainsi dire, en la
pétrissant, la pâte masculine. L'homme qui, dès le
commencement, a été longtemps baigné dans la
molle atmosphère de la femme, dans l'odeur de
ses mains, de son sein, de ses genoux, de sa chevelure, de ses vêtements souples et flottants,

> *Dulce balneum suavibus*
> *Unguentatum odoribus,*

y a contracté une délicatesse d'épiderme et une
distinction d'accent, une espèce d'androgynéité,
sans lesquelles le génie le plus âpre et le plus viril
reste, relativement à la perfection dans l'art, un
être incomplet. Enfin, je veux dire que le goût précoce du *monde* féminin, *mundi muliebris*, de tout
cet appareil ondoyant, scintillant et parfumé, fait
les génies supérieurs ; et je suis convaincu que ma
très-intelligente lectrice absout la forme presque
sensuelle de mes expressions, comme elle
approuve et comprend la pureté de ma pensée.

Jane mourut la première. Mais pour son petit
frère la mort n'était pas encore une chose intelligible. Jane n'était qu'absente ; elle reviendrait sans
doute. Une servante, chargée de l'assister pendant
sa maladie, l'avait traitée un peu durement deux
jours avant sa mort. Le bruit s'en répandit dans la
famille, et, à partir de ce moment, le petit garçon
ne put jamais regarder cette fille en face. Sitôt
qu'elle paraissait, il fichait ses regards en terre. Ce
n'était pas de la colère, ce n'était pas de l'esprit de
vengeance qui dissimule, c'était simplement de
l'effroi ; la sensitive qui se retire à un contact brutal ; terreur et pressentiment mêlés, c'était l'effet
produit par cette affreuse vérité, pour la première
fois révélée, que ce monde est un monde de malheur, de lutte et de proscription.

La seconde blessure de son cœur d'enfant ne fut
pas aussi facile à cicatriser. À son tour mourut,
après un intervalle de quelques années heureuses,
la chère, la noble Élisabeth, intelligence si noble
et si précoce, qu'il lui semble toujours, quand il
évoque son doux fantôme dans les ténèbres, voir
autour de son vaste front une auréole ou une tiare
de lumière. L'annonce de la fin prochaine de cette
créature chérie, plus âgée que lui de deux ans, et
qui avait pris déjà sur son esprit tant d'autorité, le
remplit d'un désespoir indescriptible. Le jour qui
suivit cette mort, comme la curiosité de la science
n'avait pas encore violé cette dépouille si précieuse, il résolut de revoir sa sœur. « Dans les
enfants, le chagrin a horreur de la lumière et fuit
les regards humains. » Aussi cette visite suprême
devait-elle être secrète et sans témoins. Il était
midi, et quand il entra dans la chambre, ses yeux
ne rencontrèrent d'abord qu'une vaste fenêtre,
toute grande ouverte, par laquelle un ardent soleil
d'été précipitait toutes ses splendeurs. « La température était sèche, le ciel sans nuages ; les profondeurs azurées apparaissaient comme un type
parfait de l'infini, et il n'était pas possible pour
l'œil de contempler, ni pour le cœur de concevoir
un symbole plus pathétique de la vie et de la
gloire dans la vie. »

Un grand malheur, un malheur irréparable qui
nous frappe dans la belle saison de l'année, porte,
dirait-on, un caractère plus funeste, plus sinistre.
La mort, nous l'avons déjà remarqué, je crois,
dans l'analyse des *Confessions*, nous affecte plus
profondément sous le règne pompeux de l'été. « Il
se produit alors une antithèse terrible entre la
profusion tropicale de la vie extérieure et la noire
stérilité du tombeau. Nos yeux voient l'été, et
notre pensée hante la tombe ; la glorieuse clarté

est autour de nous, et en nous sont les ténèbres. Et ces deux images, entrant en collision, se prêtent réciproquement une force exagérée. » Mais pour l'enfant, qui sera plus tard un érudit plein d'esprit et d'imagination, pour l'auteur des *Confessions* et des *Suspiria*, une autre raison que cet antagonisme avait déjà relié fortement l'image de l'été à l'idée de la mort, — raison tirée de rapports intimes entre les paysages et les événements dépeints dans les Saintes Écritures. « La plupart des pensées et des sentiments profonds nous viennent, non pas directement et dans leurs formes nues et abstraites, mais à travers des combinaisons compliquées d'objets concrets. » Ainsi, la Bible, dont une jeune servante faisait la lecture aux enfants dans les longues et solennelles soirées d'hiver, avait fortement contribué à unir ces deux idées dans son imagination. Cette jeune fille, qui connaissait l'Orient, leur en expliquait les climats, ainsi que les nombreuses nuances des étés qui les composent. C'était sous un climat oriental, dans un de ces pays qui semblent gratifiés d'un été éternel, qu'un juste, qui était plus qu'un homme, avait subi sa *passion*. C'était évidemment en été que les disciples arrachaient les épis de blé. Le dimanche des Rameaux, *Palm Sunday*, ne fournissait-il pas aussi un aliment à cette rêverie? *Sunday*, ce jour du repos, image d'un repos plus profond, inaccessible au cœur de l'homme; *palm*, palme, un mot impliquant à la fois les pompes de la vie et celles de la nature estivale! Le plus grand événement de Jérusalem était proche quand arriva le dimanche des Rameaux; et le lieu de l'action, que cette fête rappelle, était voisin de Jérusalem. Jérusalem, qui a passé, comme Delphes, pour le nombril ou centre de la terre, peut au moins passer pour le centre de la mortalité. Car si c'est là que la Mort a été foulée aux pieds, c'est là aussi qu'elle a ouvert son plus sinistre cratère.

Ce fut donc en face d'un magnifique été débordant cruellement dans la chambre mortuaire, qu'il vint, pour la dernière fois, contempler les traits de la défunte chérie. Il avait entendu dire dans la maison que ses traits n'avaient pas été altérés par la mort. Le front était bien le même, mais les paupières glacées, les lèvres pâles, les mains roidies le frappèrent horriblement ; et pendant qu'immobile il la regardait, un vent solennel s'éleva et se mit à souffler violemment, « le vent le plus mélancolique dit-il, que j'aie jamais entendu. » Bien des fois, depuis lors, pendant les journées d'été, au moment où le soleil est le plus chaud, il a oui s'élever le même vent, « enflant sa même voix profonde, solennelle, memnonienne, religieuse. » C'est, ajoute-t-il, le seul symbole de l'éternité qu'il soit donné à l'oreille humaine de percevoir. Et trois fois dans sa vie il a entendu le même son, dans les mêmes circonstances, entre une fenêtre ouverte et le cadavre d'une personne morte un jour d'été.

Tout à coup, ses yeux éblouis par l'éclat de la vie extérieure et comparant la pompe et la gloire des cieux avec la glace qui recouvrait le visage de la morte, eurent une étrange vision. Une galerie, une voûte sembla s'ouvrir à travers l'azur, — un chemin prolongé à l'infini. Et sur les vagues bleues son esprit s'éleva ; et ces vagues et son esprit se mirent à courir vers le trône de Dieu ; mais le trône fuyait sans cesse devant son ardente poursuite. Dans cette singulière extase, il s'endormit ; et quand il reprit possession de lui-même, il se retrouva assis auprès du lit de sa sœur. Ainsi l'enfant solitaire, accablé par son premier chagrin, s'était envolé vers Dieu, le solitaire par excellence. Ainsi l'instinct, supérieur à toute philosophie, lui avait fait trouver dans un rêve céleste un soulagement momentané. Il crut alors entendre un pas dans l'escalier, et craignant, si on le surprenait dans cette chambre, qu'on ne voulût l'empêcher d'y revenir, il baisa à la hâte les lèvres de sa sœur et se retira avec précaution. Le jour suivant, les médecins vinrent pour examiner le cerveau ; il ignorait le but de leur visite, et, quelques heures après qu'ils se furent retirés, il essaya de se glisser de nouveau dans la chambre ; mais la porte était fermée et la clef avait été retirée. Il lui fut donc épargné de voir, déshonorés par les ravages de la science, les restes de celle dont il a pu ainsi garder intacte une image paisible, immobile et pure comme le marbre ou la glace.

Et puis vinrent les funérailles, nouvelle agonie ; la souffrance du trajet en voiture avec les indifférents qui causaient de matières tout à fait étrangères à sa douleur ; les terribles harmonies de l'orgue, et toute cette solennité chrétienne, trop écrasante pour un enfant, que les promesses d'une religion qui élevait sa sœur dans le ciel ne consolaient pas de l'avoir perdue sur la terre. À l'église on lui recommanda de tenir un mouchoir sur ses yeux. Avait-il donc besoin d'affecter un contenance funèbre et de jouer au pleureur, lui qui pouvait à peine se tenir sur ses jambes ? La lumière enflammait les vitraux coloriés où les apôtres et les saints étalaient leur gloire ; et, dans les jours qui suivirent, quand on le menait aux offices, ses yeux, fixés sur la partie non coloriée des vitraux, voyaient sans cesse les nuages floconneux du ciel se transformer en rideaux et en oreillers blancs, sur lesquels reposaient des têtes d'enfants, souffrants, pleurants, mourants. Ces

lits peu à peu s'élevaient au ciel et remontaient
vers le Dieu qui a tant aimé les enfants. Plus tard,
longtemps après, trois passages du service
funèbre, qu'il avait entendus certainement, mais
qu'il n'avait peut-être pas écoutés ou qui avaient
révolté sa douleur par leurs trop âpres consolations, se représentèrent à sa mémoire, avec leur
sens mystérieux et profond, parlant de délivrance,
de résurrection et d'éternité, et devinrent pour lui
un thème fréquent de méditation. Mais, bien
avant cette époque, il s'éprit pour la solitude de ce
goût violent que montrent toutes les passions profondes, surtout celles qui ne veulent pas être
consolées. Les vastes silences de la campagne, les
étés criblés d'une lumière accablante, les après-
midi brumeuses, le remplissaient d'une dangereuse volupté. Son œil s'égarait dans le ciel et
dans le brouillard à la poursuite de quelque chose
d'introuvable, il scrutait opiniâtrement les profondeurs bleues pour y découvrir une image chérie, à qui peut-être, par un privilège spécial, il
avait été permis de se manifester une fois encore.
C'est à mon très-grand regret que j'abrège la partie, excessivement longue, qui contient le récit de
cette douleur profonde, sinueuse, sans issue,
comme un labyrinthe. La nature entière y est
invoquée, et chaque objet y devient à son tour
représentatif de l'idée unique. Cette douleur, de
temps à autre, fait pousser des fleurs lugubres et
coquettes, à la fois tristes et riches ; ses accents
funèbrement amoureux se transforment souvent
en concetti. Le deuil lui-même n'a-t-il pas ses
parures ? Et ce n'est pas seulement la sincérité de
cet attendrissement qui émeut l'esprit ; il y a aussi
pour le critique une jouissance singulière et nouvelle à voir s'épanouir ici cette mysticité ardente
jardin de l'Église romaine. — Enfin une époque

arriva, où cette sensibilité morbide, se nourris-
sant exclusivement d'un souvenir, et ce goût
immodéré de la solitude, pouvaient se transformer en un danger positif; une de ces époques
décisives, critiques, où l'âme désolée se dit : « Si
ceux que nous aimons ne peuvent plus venir à
nous, qui nous empêche d'aller à eux ? », où l'imagination obsédée, fascinée, subit avec délices *les
sublimes attractions du tombeau*. Heureusement
l'âge était venu du travail et des distractions for-
cées. Il lui fallait endosser le premier harnais de
la vie et se préparer aux études classiques.

Dans les pages suivantes, cependant plus
égayées, nous trouvons encore le même esprit de
tendresse féminine appliqué maintenant aux animaux, ces intéressants esclaves de l'homme, aux
chats, aux chiens, à tous les êtres qui peuvent être
facilement gênés, opprimés, enchaînés. D'ailleurs,
l'animal, par sa joie insouciante, par sa simplicité,
n'est-il pas une espèce de représentation de
l'enfance de l'homme ? Ici donc, la tendresse du
jeune rêveur, tout en s'égarant sur de nouveaux
objets, restait fidèle à son caractère primitif. Il
aimait encore, sous des formes plus ou moins
parfaites, la faiblesse, l'innocence et la candeur.
Parmi les marques et les caractères principaux
que la destinée avait imprimés sur lui, il faut
noter aussi une délicatesse de conscience excessive, qui, jointe à sa sensibilité morbide, servait à
grossir démesurément les faits les plus vulgaires,
et à tirer des fautes les plus légères, imaginaires
même, des terreurs malheureusement trop
réelles. Enfin, qu'on se figure un enfant de cette
nature, privé de l'objet de sa première et de sa
plus grande affection, amoureux de la solitude et
sans confident. Arrivé à ce point, le lecteur
comprendra parfaitement que plusieurs des phé-

nomènes développés sur le théâtre des rêves ont
dû être la répétition des épreuves de ses premières années. La destinée avait jeté la semence;
l'opium la fit fructifier et la transforma en végétations étranges et abondantes. Les choses de
l'enfance, pour me servir d'une métaphore qui
appartient à l'auteur, devinrent le coefficient
naturel de l'opium. Cette faculté prématurée, qui
lui permettait d'idéaliser toutes choses et de leur
donner des proportions surnaturelles, cultivée,
exercée longtemps dans la solitude, dut à Oxford,
activée outre mesure par l'opium, produire des
résultats grandioses et insolites même chez la plupart des jeunes gens de son âge.

Le lecteur se rappelle les aventures de notre
héros dans les Galles, ses souffrances à Londres et
sa réconciliation avec ses tuteurs. Le voici maintenant à l'Université, se fortifiant dans l'étude,
plus enclin que jamais à la songerie, et tirant de la
substance dont il avait fait, comme nous l'avons
dit, connaissance à Londres à propos de douleurs
névralgiques, un adjuvant dangereux et puissant
pour ses facultés précocement rêveuses. Dès lors,
sa première existence entra dans la seconde, et se
confondit avec elle pour ne faire qu'un tout aussi
intime qu'anormal. Il occupa sa nouvelle vie à
revivre sa première. Combien de fois il revit, dans
les loisirs de l'école, la chambre funèbre où repo-
sait le cadavre de sa sœur, la lumière de l'été et la
glace de la mort, le chemin ouvert à l'extase à travers la voûte des cieux azurés; et puis, le prêtre en
surplis blanc à côté d'une tombe ouverte, la bière
descendant dans la terre, et la *poussière rendue à
la poussière*; enfin, les saints, les apôtres et les
martyrs du vitrail, illuminés par le soleil et faisant
un cadre magnifique à ces lits blancs, à ces jolis
berceaux d'enfants qui opéraient, aux sons graves

de l'orgue, leur ascension vers le ciel ! Il revit tout cela, mais il le revit avec variations, fioritures, couleurs plus intenses ou plus vaporeuses ; il revit tout l'univers de son enfance, mais avec la richesse poétique qu'y ajoutait maintenant un esprit cultivé, déjà subtil, et habitué à tirer ses plus grandes jouissances de la solitude et du souvenir.

VIII

VISIONS D'OXFORD

I. LE PALIMPSESTE

« Qu'est-ce que le cerveau humain, sinon un palimpseste immense et naturel ? Mon cerveau est un palimpseste et le vôtre aussi, lecteur. Des couches innombrables d'idées, d'images, de sentiments sont tombées successivement sur votre cerveau, aussi doucement que la lumière. Il a semblé que chacune ensevelissait la précédente. Mais aucune en réalité n'a péri. » Toutefois, entre le palimpseste qui porte, superposées l'une sur l'autre, une tragédie grecque, une légende monacale et une histoire de chevalerie, et le palimpseste divin créé par Dieu, qui est notre incommensurable mémoire, se présente cette différence, que dans le premier il y a comme un chaos fantastique, grotesque, une collision entre des éléments hétérogènes ; tandis que dans le second la fatalité du tempérament met forcément une harmonie parmi les éléments les plus disparates. Quelque incohérente que soit une existence, l'unité humaine n'en est pas troublée. Tous les échos de la mémoire, si on pouvait les réveiller simultanément, formeraient un concert, agréable ou douloureux, mais logique et sans dissonances.

Souvent des êtres, surpris par un accident subit, suffoqués brusquement par l'eau, et en danger de mort, ont vu s'allumer dans leur cerveau tout le théâtre de leur vie passée. Le temps a été annihilé, et quelques secondes ont suffi à contenir une quantité de sentiments et d'images équivalente à des années. Et ce qu'il y a de plus singulier dans cette expérience, que le hasard a amenée plus d'une fois, ce n'est pas la simultanéité de tant d'éléments qui furent successifs, c'est la réapparition de tout ce que l'être lui-même ne connaissait plus, mais qu'il est cependant forcé de *reconnaître* comme lui étant propre. L'oubli n'est donc que momentané; et dans telles circonstances solennelles, dans la mort peut-être, et généralement dans les excitations intenses créées par l'opium, tout l'immense et compliqué palimpseste de la mémoire se déroule d'un seul coup, avec toutes ses couches superposées de sentiments défunts, mystérieusement embaumés dans ce que nous appelons l'oubli.

Un homme de génie, mélancolique, misanthrope, et voulant se venger de l'injustice de son siècle, jette un jour au feu toutes ses œuvres encore manuscrites. Et comme on lui reprochait cet effroyable holocauste fait à la haine, qui, d'ailleurs, était le sacrifice de toutes ses propres espérances, il répondit : « Qu'importe ? ce qui était important, c'était que ces choses fussent *créées* ; elles ont été créées, donc elle *sont*. » Il prêtait à toute chose créée un caractère indestructible. Combien cette idée s'applique plus évidemment encore à toutes nos pensées, à toutes nos actions, bonnes ou mauvaises ! Et si dans cette croyance il y a quelque chose d'infiniment consolant, dans le cas où notre esprit se tourne vers cette partie de nous-mêmes que nous pouvons considérer avec complaisance, n'y a-t-il pas aussi quelque chose d'infiniment terrible, dans le cas futur, inévitable, où notre esprit se tournera vers cette partie de nous-mêmes que nous ne pouvons affronter qu'avec horreur? Dans le spirituel non plus que dans le matériel, rien ne se perd. De même que toute action, lancée dans le tourbillon de l'action universelle, est en soi irrévocable et irréparable, abstraction faite de ses résultats possibles, de même toute pensée est ineffaçable. Le palimpseste de la mémoire est indestructible.

« Oui, lecteur, innombrables sont les poëmes de joie ou de chagrin qui se sont gravés successivement sur le palimpseste de votre cerveau, et comme les feuilles des forêts vierges, comme les neiges indissolubles de l'Himalaya, comme la lumière qui tombe sur la lumière, leurs couches incessantes se sont accumulées et se sont, chacune à son tour, recouvertes d'oubli. Mais à l'heure de la mort, ou bien dans la fièvre, ou par les recherches de l'opium, tous ces poëmes peuvent reprendre de la vie et de la force. Ils ne sont pas morts, ils dorment. On croit que la tragédie grecque a été chassée et remplacée par la légende du moine, la légende du moine par le roman de chevalerie; mais cela n'est pas. À mesure que l'être humain avance dans la vie, le roman qui, jeune homme, l'éblouissait, la légende fabuleuse qui, enfant, le séduisait, se fanent et s'obscurcissent d'eux-mêmes. Mais les profondes tragédies de l'enfance, — bras d'enfants arrachés à tout jamais du cou de leurs mères, lèvres d'enfants séparées à jamais des baisers de leurs sœurs, — vivent toujours cachées, sous les autres légendes du palimpseste. La passion et la maladie n'ont pas de chimie assez puissante pour brûler ces immortelles empreintes. »

II. LEVANA ET NOS NOTRE-DAME DES TRISTESSES

« Souvent à Oxford j'ai vu Levana dans mes rêves. Je la connaissais par ses symboles romains. » Mais qu'est-ce que Levana ? C'était la déesse romaine qui présidait aux premières heures de l'enfant, qui lui conférait, pour ainsi dire, la dignité humaine. « Au moment de la naissance, quand l'enfant goûtait pour la première fois l'atmosphère troublée de notre planète, on le posait à terre. Mais presque aussitôt de peur qu'une si grande créature ne rampât sur le sol plus d'un instant, le père, comme mandataire de la déesse Levana, ou quelque proche parent, comme mandataire du père, le soulevait en l'air, lui commandait de regarder en haut, comme étant le roi de ce monde, et il présentait le front de l'enfant aux étoiles, disant peut-être à celles-ci dans son cœur : « Contemplez ce qui est plus grand que vous ! » Cet acte symbolique représentait la fonction de Levana. Et cette déesse mystérieuse qui n'a jamais dévoilé ses traits (excepté à moi, dans mes rêves), et qui a toujours agi par délégation, tire son nom du verbe latin *levare*, soulever en l'air, tenir élevé. »

Naturellement plusieurs personnes ont entendu par Levana le pouvoir tutélaire qui surveille et régit l'éducation des enfants. Mais ne croyez pas qu'il s'agisse ici de cette pédagogie qui ne règne que par les alphabets et les grammaires ; il faut penser surtout « à ce vaste système de forces centrales qui est caché dans le sein profond de la vie humaine et qui travaille incessamment les enfants, leur enseignant tour à tour la passion, la lutte, la tentation, l'énergie de la résistance ». Levana ennoblit l'être humain qu'elle surveille, mais par de cruels moyens. Elle est dure et sévère,

cette bonne nourrice, et parmi les procédés dont
elle use plus volontiers pour perfectionner la créature humaine, celui qu'elle affectionne par-dessus
tous, c'est la douleur. Trois déesses lu sont sou-
mises, qu'elle emploie pour ses desseins mystérieux. Comme il y a trois Grâces, trois Parques,
trois Furies, comme primitivement il y avait trois
Muses, il y a trois déesse de la tristesse. Elles sont
nos *Notre-Dame des Tristesses*.

« Je les ai vues souvent conversant avec Levana,
et quelquefois même s'entretenant de moi. Elles
parlent donc? Oh! non. Ces puissants fantômes
dédaignent les insuffisances du langage. Elles
peuvent proférer des paroles par les organes de
l'homme, quand elles habitent dans un cœur
humain; mais entre elles, elles ne se servent pas
de la voix; elles n'émettent pas de sons; un éternel
silence règne dans leurs royaumes... La plus âgée
des trois sœurs s'appelle *Mater Lachrymarum*, ou
Notre-Dame des Larmes. C'est elle qui, nuit et
jour, divague et gémit, invoquant des visages éva-
nouis. C'est elle qui était dans Rama, alors qu'on
entendit une voix se lamenter, celle de Rachel
pleurant ses enfants et ne voulant pas être conso-
lée. Elle était aussi dans Béthléem, la nuit où
l'épée d'Hérode balaya tous les innocents hors de
leurs asiles... Ses yeux sont tour à tour doux et
perçants, effarés et endormis, se levant souvent
vers les nuages, souvent accusant les cieux. Elle
porte un diadème sur sa tête. Et je sais par des
souvenirs d'enfance qu'elle peut voyager sur les
vents quand elle entend le sanglot des litanies ou
le tonnerre de l'orgue, ou quand elle contemple
les éboulements des nuages d'été. Cette sœur
aînée porte à sa ceinture des clefs plus puissantes
que les clefs papales, avec lesquelles elle ouvre
toutes les chaumières et tous les palais. C'est elle,

je le sais, qui, tout l'été dernier, est restée au chevet du mendiant aveugle, celui avec qui j'aimais
tant à causer, et dont la pieuse fille, âgée de huit
ans, à la physionomie lumineuse, résistait à la
tentation de se mêler à la joie du bourg, pour
errer toute la journée sur les routes poudreuses
avec son père affligé. Pour cela, Dieu lui a envoyé
une grande récompense. Au printemps de l'année,
et comme elle-même commençait à fleurir, il l'a
rappelée à lui. Son père aveugle la pleure toujours, et toujours à minuit il rêve qu'il tient
encore dans sa main la petite main qui le guidait,
et toujours il s'éveille dans des *ténèbres* qui sont
maintenant de nouvelles et plus profondes
ténèbres... C'est à l'aide de ces clefs que Notre-
Dame des Larmes se glisse, fantôme ténébreux,
dans les chambres des hommes qui ne dorment
pas, des femmes qui ne dorment pas, des enfants
qui ne dorment pas, depuis le Gange jusqu'au Nil,
depuis le Nil jusqu'au Mississipi. Et comme elle
est née la première et qu'elle possède l'empire le
plus vaste, nous l'honorerons du titre de Madone.

« La seconde sœur s'appelle *Mater Suspiriorum*,
Notre-Dame des Soupirs. Elle n'escalade jamais
les nuages et elle ne se promène pas sur les vents.
Sur son front, pas de diadème. Ses yeux, si on
pouvait les voir, ne paraîtraient ni doux, ni perçant ; on n'y pourrait déchiffrer aucune histoire ;
on n'y trouverait qu'une masse confuse de rêves à
moitié morts et les débris d'un délire oublié. Elle
ne lève jamais les yeux ; sa tête, coiffée d'un turban en loques, tombe toujours, et toujours
regarde la terre. Elle ne pleure pas, elle ne gémit
pas. De temps à autre elle soupire inintelligible-
ment. Sa sœur, la Madone, est quelquefois tempé-
tueuse et frénétique, délirant contre le ciel et
réclamant ses bien-aimés. Mais Notre-Dame des

Soupirs ne crie jamais, n'accuse jamais, ne rêve jamais de révolte. Elle est humble jusqu'à l'abjection. Sa douceur est celle des êtres sans espoir... Si elle murmure quelquefois, ce n'est que dans des lieux solitaires, désolés comme elle, dans des cités ruinées, et quand le soleil est descendu dans son repos. Cette sœur est la visiteuse du Pariah, du Juif, de l'esclave qui rame sur les galères; ... de la femme assise dans les ténèbres, sans amour pour abriter sa tête, sans espérance pour illuminer sa solitude; ... de tout captif dans sa prison; de tous ceux qui sont trahis et de tous ceux qui sont rejetés; de ceux qui sont proscrits par la loi de la tradition, et des enfants de la disgrâce héréditaire. Tous sont accompagnés par Notre-Dame des Soupirs. Elle aussi, elle porte une clef, mais elle n'en a guère besoin. Car son royaume est surtout parmi les tentes de Sem et les vagabonds de tous les climats. Cependant dans les plus hauts rangs de l'humanité elle trouve quelques autels, et même dans la glorieuse Angleterre il y a des hommes qui, devant le monde, portent leur tête aussi orgueilleusement qu'un renne et qui, secrètement, ont reçu sa marque sur le front.

« Mais la troisième sœur, qui est aussi la plus jeune!... Chut! ne parlons d'elle qu'à voix basse. Son domaine n'est pas grand; autrement aucune chair ne pourrait vivre; mais sur ce domaine son pouvoir est absolu... Malgré le triple voile de crêpe dont elle enveloppe sa tête, si haut qu'elle la porte, on peut voir d'en bas la lumière sauvage qui s'échappe de ses yeux, lumière de désespoir toujours flamboyante, les matins et les soirs, à midi comme à minuit, à l'heure du flux comme à l'heure du reflux. Celle-là défie Dieu. Elle est aussi la mère des démences et la conseillère des suicides... La Madone marche d'un pas irrégulier, rapide ou lent, mais toujours avec une grâce tragique. Notre-Dame des Soupirs se glisse timidement et avec précaution. Mais la plus jeune sœur se meut avec des mouvements impossibles à prévoir; elle bondit; elle a les sauts du tigre. Elle ne porte pas de clef; car, bien qu'elle visite rarement les hommes, quand il lui est permis d'approcher d'une porte, elle s'en empare d'assaut et l'enfonce. Et son nom est *Mater Tenebrarum*, Notre-Dame des Ténèbres.

« Telles étaient les Euménides ou *Gracieuses* Déesses (comme disait l'antique flatterie inspirée par la crainte) qui hantaient mes rêves à Oxford. La Madone parlait avec sa main mystérieuse. Elle me touchait la tête; elle appelait du doigt Notre-Dame des Soupirs, et ses signes, qu'aucun homme ne peut lire, excepté en rêve, pouvaient se traduire ainsi : « Vois! le voici, celui que dans son enfance j'ai consacré à mes autels. C'est lui que j'ai fait mon favori. Je l'ai égaré, je l'ai séduit, et du haut du ciel j'ai attiré son cœur vers le mien. Par moi il est devenu idolâtre; par moi rempli de désirs et de langueurs, il a adoré le ver de terre et il a adressé ses prières au tombeau vermiculeux. Sacré pour lui était le tombeau; aimables étaient ses ténèbres; sainte sa corruption. Ce jeune idolâtre, je l'ai préparé pour toi, chère et douce Sœur des Soupirs! Prends-le maintenant sur ton cœur, et prépare-le pour notre terrible Sœur. Et toi, — se tournant vers la *Mater Tenebrarum*, — reçois-le d'elle à son tour. Fais que ton sceptre soit pesant sur sa tête. Ne souffre pas qu'une femme, avec sa tendresse, vienne s'asseoir auprès de lui dans sa nuit. Chasse toutes les faiblesses de l'espérance, sèche les baumes de l'amour, brûle la fontaine des larmes; maudis-le comme toi seule sais maudire. Ainsi sera-t-il rendu parfait dans la fournaise;

ainsi verra-t-il les choses qui ne devraient pas être vues, les spectacles qui sont abominables et les secrets qui sont indicibles. Ainsi lira-t-il les antiques vérités, les tristes vérités, les grandes, les terribles vérités. Ainsi ressuscitera-t-il avant d'être mort. Et notre mission sera accomplie, que nous tenons de Dieu, qui est de tourmenter son cœur jusqu'à ce que nous ayons développé les facultés de son esprit. »

III. LE SPECTRE DU BROCKEN

Par un beau dimanche de Pentecôte, montons sur le Brocken. Éblouissante aube sans nuages ! Cependant Avril parfois pousse ses dernières incursions dans la saison renouvelée, et l'arrose de ses capricieuses averses. Atteignons le sommet de la montagne ; une pareille matinée nous promet plus de chances pour voir le fameux Spectre du Brocken. Ce spectre a vécu si longtemps avec les sorciers païens, il a assisté à tant de noires idolâtries, que son cœur a peut-être été corrompu et sa foi ébranlée. Faites d'abord le signe de la croix, en manière d'épreuve, et regardez attentivement s'il consent à le répéter. En effet, il le répète ; mais le réseau des ondées qui s'avance trouble la forme des objets et lui donne l'air d'un homme qui n'accomplit son devoir qu'avec répugnance ou d'une manière évasive. Recommencez donc l'épreuve, « cueillez une de ces anémones qui s'appelaient autrefois *fleurs de sorcier*, et qui jouaient peut-être leur rôle dans ces rites horribles de la peur. Portez-la sur cette pierre qui imite la forme d'un autel païen ; agenouillez-vous et, levant votre main droite, dites : Notre père, qui êtes aux cieux !... moi, votre serviteur, et ce noir fantôme dont j'ai fait, ce jour de Pentecôte, mon serviteur pour une heure, nous vous apportons nos hommages réunis sur cet autel rendu au vrai culte ! — Voyez ! l'apparition cueille une anémone et la pose sur un autel ; elle s'agenouille, elle élève sa main droite vers Dieu. Elle est muette, il est vrai ; mais les muets peuvent servir Dieu d'une manière très acceptable. »

Toutefois, vous pensez peut-être que ce spectre, accoutumé de vieille date à une dévotion aveugle, est porté à obéir à tous les cultes, et que sa servilité naturelle rend son hommage insignifiant. Cherchons donc un autre moyen pour vérifier la nature de cet être singulier. Je suppose que, dans votre enfance, vous avez subi quelque douleur ineffable, traversé un désespoir inguérissable une de ces désolations muettes qui pleurent derrière un voile, comme la Judée des médailles romaines, tristement assise sous son palmier. Voilez votre tête en commémoration de cette grande douleur. Le fantôme du Brocken, lui aussi, a déjà voilé sa tête, comme s'il avait un cœur d'homme et comme s'il voulait exprimer par un symbole silencieux le souvenir d'une douleur trop grande pour s'exprimer par des paroles. « Cette épreuve est décisive. Vous savez maintenant que l'apparition n'est que votre propre reflet, et qu'en adressant au fantôme l'expression de vos secrets sentiments, vous en faites le miroir symbolique où se réfléchit à la clarté du jour ce qui autrement serait caché à jamais. »

Le mangeur d'opium a aussi près de lui un Sombre Interprète, qui est, relativement à son esprit, dans le même rapport que le fantôme du Brocken vis-à-vis du voyageur. Celui-là est quelquefois troublé par des tempêtes, des brouillards et des pluies ; de même le Mystérieux Interprète mêle quelquefois à sa nature de reflet des éléments étrangers. « Ce qu'il dit généralement n'est que ce que je me suis dit éveillé, dans des méditations assez profondes pour laisser leur empreinte dans mon cœur. Mais quelquefois ses paroles s'altèrent comme son visage, et elles ne semblent pas celles dont je me serais plus volontiers servi. Aucun homme ne peut rendre compte de tout ce qui arrive dans les rêves. Je crois que ce fantôme est généralement une fidèle représentation de moi-même ; mais aussi, de temps en temps, il est sujet à l'action du bon Phantasus, qui règne sur les songes. » On pourrait dire qu'il a quelques rapports avec le chœur de la tragédie grecque, qui souvent exprime les pensées secrètes du principal personnage, secrètes pour lui-même ou imparfaitement développées, et lui présente des commentaires, prophétiques ou relatifs au passé, propres à justifier la Providence ou à calmer l'énergie de son angoisse, tels enfin que l'infortuné les aurait trouvés lui-même si son cœur lui avait laissé le temps de la méditation.

IV. SAVANNAH-LA-MAR

À cette galerie mélancolique de peintures, vastes et mouvantes allégories de la tristesse, où je trouve (j'ignore si le lecteur qui ne les voit qu'en abrégé peut éprouver la même sensation) un charme musical autant que pittoresque, un morceau vient s'ajouter, qui peut être considéré comme le finale d'une large symphonie.

« Dieu a frappé Savannah-la-Mar, et en une nuit l'a fait descendre, avec tous ses monuments encore droits et sa population endormie, des fondations solides du rivage sur le lit de corail de l'Océan. Dieu dit : « J'ai enseveli Pompéi, et je l'ai caché aux hommes pendant dix-sept siècles; j'ensevelirai cette cité, mais je ne la cacherai pas. Elle sera pour les hommes un monument de ma mystérieuse colère, fixé pendant les générations à venir dans une lumière azurée; car je l'enchâsserai dans le dôme cristallin de mes mers tropicales. » Et souvent dans les calmes limpides, à travers le milieu transparent des eaux, les marins qui passent aperçoivent cette ville silencieuse, qu'on dirait conservée sous une cloche, et peuvent parcourir du regard ses places, ses terrasses, compter ses portes et les clochers de ses églises : « Vaste cimetière qui fascine l'œil comme une révélation féerique de la vie humaine, persistant dans les retraites sous-marines à l'abri des tempêtes qui tourmentent notre atmosphère. » Bien des fois, avec son Noir Interprète bien des fois en rêve il a visité la solitude inviolée de Savannah-la-Mar. Ils regardaient ensemble dans les beffrois, où les cloches immobiles attendaient en vain des mariages à proclamer; ils s'approchaient des orgues qui ne célébraient plus les joies du ciel ni les tristesses de l'homme; ensemble ils visitaient les silencieux dortoirs où tous les enfants dormaient depuis cinq générations.

« Ils attendent l'aube céleste, — se dit tout bas à lui-même le Noir Interprète, — et quand cette aube paraîtra, les cloches et les orgues pousseront un chant de jubilation répété par les échos du Paradis. — Et puis, se tournant vers moi, il disait : Voilà qui est mélancolique et déplorable; mais une moindre calamité n'aurait pas suffi pour les desseins de Dieu. Comprends bien ceci... Le temps présent se réduit à un point mathématique, et même ce point mathématique périt mille fois avant que nous ayons pu affirmer sa naissance.

Dans le présent, tout est fini, et aussi bien ce fini est infini dans la vélocité de sa fuite vers la mort. Mais en Dieu il n'y a rien de fini ; en Dieu il n'y a rien de transitoire ; en Dieu il n'y a rien qui tende vers la mort. Il s'ensuit que pour Dieu le présent n'existe pas. Pour Dieu, le présent, c'est le futur, et c'est pour le futur qu'il sacrifie le présent de l'homme. C'est pourquoi il opère par le tremblement de terre. C'est pourquoi il travaille par la douleur. Oh ! profond est le labourage du tremblement de terre ! Oh ! profond (et ici sa voix s'enflait comme un *sanctus* qui s'élève du chœur d'une cathédrale), profond est le labour de la douleur ! mais il ne faut pas moins que cela pour l'agriculture de Dieu. Sur une nuit de tremblement de terre, il bâtit à l'homme d'agréables habitations pour mille ans. De la douleur d'un enfant il tire de glorieuses vendanges spirituelles qui, autrement, n'auraient pu être récoltées. Avec des charrues moins cruelles, le sol réfractaire n'aurait pas été remué. À la terre, notre planète, à l'habitacle de l'homme il faut la secousse ; et la douleur est plus souvent encore nécessaire comme étant le plus puissant outil de Dieu ; — oui (et il me regardait avec un air solennel), elle est indispensable aux enfants mystérieux de la terre ! »

IX

CONCLUSION

Ces longues rêveries, ces tableaux poétiques,
malgré leur caractère symbolique général,
illustrent mieux, pour un lecteur intelligent, le
caractère moral de notre auteur, que ne le
feraient désormais des anecdotes ou des notes
biographiques. Dans la dernière partie des *Suspiria*, il fait encore comme avec plaisir un retour
vers les années déjà si lointaines, et ce qui est
vraiment précieux, là comme ailleurs, ce n'est pas
le fait, mais le commentaire; commentaire
souvent noir, amer, désolé; pensée solitaire, qui
aspire à s'envoler loin de ce sol et loin du théâtre
des luttes humaines; grands coups d'aile vers le
ciel; monologue d'une âme qui fut toujours trop
facile à blesser. Ici comme dans les parties déjà
analysées, cette pensée est le *thyrse* dont il a si
plaisamment parlé, avec la candeur d'un vagabond qui se connaît bien. Le sujet n'a pas d'autre
valeur que celle d'un bâton sec et nu mais les
rubans, les pampres et les fleurs peuvent être, par
leurs entrelacements folâtres, une richesse précieuse pour les yeux. La pensée de De Quincey
n'est pas seulement sinueuse; le mot n'est pas
assez fort : elle est naturellement spirale. D'ailleurs, ces commentaires et ces réflexions seraient

trop longs à analyser, et je dois me souvenir que le but de ce travail était de montrer, par un exemple, les effets de l'opium sur un esprit méditatif et enclin à la rêverie. Je crois ce but rempli.

Il me suffira de dire que le penseur solitaire revient avec complaisance sur cette sensibilité précoce qui fut pour lui la source de tant d'horreurs et de tant de jouissances; sur son amour immense de la liberté, et sur le frisson que lui inspirait la responsabilité. « L'horreur de la vie se mêlait déjà, dans ma première jeunesse, avec la douceur céleste de la vie. » Il y a dans ces dernières pages des *Suspiria* quelque chose de funèbre, de corrodé et d'aspirant ailleurs qu'aux choses de la terre. Çà et là, à propos d'aventures de jeunesse, l'enjouement et la bonne humeur, la bonne grâce à se moquer de soi-même dont il a fait si souvent preuve, se faufilent quelquefois encore; mais, ce qui est le plus *voyant* et ce qui saute à l'œil, ce sont les explosions lyriques d'une mélancolie incurable. Par exemple, à propos des êtres qui gênent notre liberté, contristent nos sentiments et violent les droits les plus légitimes de la jeunesse, il s'écrie : « Oh! comment se fait-il que ceux-là s'intitulent eux-mêmes les *amis* de cet homme ou de cette femme, qui sont justement ceux que, plutôt que tous autres, cet homme ou cette femme, à l'heure suprême de la mort, saluera de cet adieu : Plût au ciel que je n'eusse jamais vu votre face! » Ou bien il laisse cyniquement s'envoler cet aveu, qui a pour moi, je le confesse avec la même candeur, un charme presque fraternel : « Généralement, les rares individus qui ont excité mon dégoût en ce monde étaient des gens florissants et de bonne renommée. Quant aux coquins que j'ai connus, et ils ne sont pas en petit nombre, je pense à eux, à tous

sans exceptions, avec plaisir et bienveillance. »
Notons, en passant, que cette belle réflexion vient
encore à propos de l'attorney aux affaires équivoques. Ou bien ailleurs il affirme que, si la vie
pouvait magiquement s'ouvrir devant nous, si
notre œil, jeune encore, pouvait parcourir les cor-
ridors, scruter les salles et les chambres de cette
hôtellerie, théâtres des futures tragédies et des
châtiments qui nous attendent, nous et nos amis,
tous, nous reculerions frémissants d'horreur!
Après avoir peint, avec une grâce et un luxe de
couleurs inimitables, un tableau de bien-être, de
splendeur et de pureté domestiques, la beauté et
la bonté encadrées dans la richesse, il nous
montre successivement les gracieuses héroïnes de
la famille, toutes, de mère en fille, traversant, chacune à son tour, de lourds nuages de malheur; et
il conclut en disant : « Nous pouvons regarder la
mort en face; mais sachant, comme quelques-uns
d'entre nous le savent aujourd'hui, ce qu'est la vie
humaine, qui pourrait sans frissonner (en supposant qu'il en fût averti) regarder en face l'heure de
sa naissance? »

Je trouve au bas d'une page une note qui, rap-
prochée de la mort récente de De Quincey, prend
une signification lugubre. Les *Suspiria de profundis* devaient, dans la pensée de l'auteur, s'étendre
et s'agrandir singulièrement. La note annonce
que la légende sur les Sœurs des Tristesses four-
nira une division naturelle pour les publications
postérieures. Ainsi, de même que la première partie (la mort d'Élisabeth et les regrets de son frère)
se rapporte logiquement à la Madone ou Notre-
Dame des Larmes, de même une partie nouvelle,
les Mondes des Pariahs, devait se ranger sous
l'invocation de Notre-Dame des Soupirs; enfin,
Notre-Dame des Ténèbres devait *patronner le*

royaume des Ténèbres. Mais la Mort, que nous ne consultons pas sur nos projets et à qui nous ne pouvons pas demander son acquiescement, la Mort, qui nous laisser rêver de bonheur et de renommée et qui ne dit ni oui ni non, sort brusquement de son embuscade, et balaye d'un coup d'aile nos plans, nos rêves et les architectures idéales où nous abritions en pensée la gloire de nos derniers jours!

LES EXCITANTS

Messieurs, il me paraissait oiseux de faire un traité complet des excitants, dont la caractéristique générale est d'engendrer un affaiblissement proportionné à l'excitation et un châtiment aussi cruel que la jouissance a été vive. Il serait oiseux de parler des excitants vulgaires, tels que l'absinthe, le thé, le café, le vin de quinquina ou même la coca, ou érythroxylon, cette singulière plante dont les feuilles mâchées augmentent l'énergie en diminuant le sommeil et en supprimant l'appétit, ou bien de la ciguë islandaise, dont l'absorption fait voir, dit-on, aux yeux du cerveau empoisonné les monstruosités du monde antédiluvien.

Dans tout cela il y a beaucoup de choses qui regardent les médecins. Or, je veux faire un livre non pas de pure physiologie mais surtout de morale. Je veux prouver que les chercheurs de paradis font leur enfer, le préparent, le creusent avec un succès dont la prévision les épouvanterait peut-être.

La première partie de ce livre est entièrement de moi : c'est le *Poëme du Haschisch*. Elle est divisée en plusieurs chapitres, dont je vous annoncerai successivement les titres. La deuxième et la

troisième parties sont l'analyse d'un livre anglais
excessivement curieux (le *Mangeur d'opium* de
Quincey), mais j'y ai joint, par-ci, par-là, mes
réflexions personnelles; mais jusqu'à quelle dose
ai-je introduit ma personnalité dans l'auteur original, c'est ce que je serais actuellement bien
empêché de dire. J'ai fait un tel amalgame que je
ne saurais y reconnaître la part qui vient de moi,
laquelle, d'ailleurs, ne peut être que fort petite.

....

Messieurs, nous en sommes restés à la fin des
visions torturantes involontaires de l'Opium. La
séance était déjà si longue que j'ai dû renvoyer à
ce soir l'histoire de la guérison, fausse guérison
du mangeur d'opium.

....

... *la malice*, une parole que devraient méditer les
fanatiques de tous les partis (qui généralement
sont des imbéciles, mais des imbéciles dangereux).

....

Chagrin d'enfant principe d'œuvre d'art.
Le logis de l'enfant, un arbre, des fleurs, une
chambre sombre. L'enfant de génie né dans un tel
logis ne ressemblera pas à l'homme de génie né
dans un milieu différent.

....

Le goût du monde féminin fait les génies supérieurs. Je suis convaincu que les dames intel-
ligentes qui m'écoutent absolvent la forme
presque sensuelle de mes expressions, comme
elles approuvent...

....

Il me reste, Messieurs, à vous remercier cor-
dialement de votre gracieuse hospitalité et de la
merveilleuse attention que vous avez prêtée à ces
lectures quelquefois un peu longues...

LE PSEUDO-ÉPILOGUE

Les Paradis artificiels ! Blondes fumées,
Acres saveurs, rêves divins, vivante mort,
Délicieux oubli des femmes trop aimées
Et des chagrins passés qui nous ruinent encor.

Maîtresses de jadis que je croyais parfaites,
Monstres câlins, amour, caprice, cruauté,
Les drogues sont pour moi tout ce que vous nous
                                        [êtes,
  Moins les noirs lendemains de l'infidélité.

Elles versent la vie enivrante et factice,
Le sommeil excité, le mensonge troublant,
L'âme ivre, anéantie, obéit au Caprice
Du Rêve qui l'emporte, et lorsque s'éveillant

Impuissante, elle assiste à la mort d'un beau
                                        [songe,
  Lorsqu'elle nous revoit, notre âme croit rêver :
C'est la réalité qui lui semble mensonge.
Vous êtes les débris d'un rêve inachevé.

TABLE DES MATIÈRES

LE SPLEEN DE PARIS

LES PARADIS ARTIFICIELS

DISTRIBUTION

ALLEMAGNE
SWAN BUCH-VERTRIEB GMBH
Goldscheuerstrasse 16
D-77694 Kehl/Rhein

BELGIQUE
UITGEVERIJ EN BOEKHANDEL
VAN GENNEP BV
Spuistraat 283
1012 VR Amsterdam
Pays-Bas

CANADA
EDILIVRE INC.
DIFFUSION SOUSSAN
5518 Ferrier
Mont-Royal, QC H4P 1M2

ESPAGNE
PROLIBRO, S.A.
CL Sierra de Gata, 7
Pol. Ind. San Fernando II
San Fernando de Henares

RIBERA LIBRERIA
Dr Areilza 19
48011 Bilbao

ÉTATS-UNIS
POWELL'S BOOKSTORE
1501 East 57th Street
Chicago, Illinois 60637

TEXAS BOOKMAN
8650 Denton Drive
75235 Dallas, Texas

FRANCE
BOOKKING INTERNATIONAL
60 rue Saint-André-des-Arts
75006 Paris

GRANDE-BRETAGNE
SANDPIPER BOOKS LTD
22 a Langroyd Road
London SW17 7PL

ITALIE
MAGIS BOOKS s.r.l.
Vicolo Trivelli 6
42100 Reggio Emilia

LIBAN
SORED
BP 166210
Rue Mar Maroun
Beyrouth

MAROC
LIBRAIRIE DES ÉCOLES
12 av. Hassan II
Casablanca

PORTUGAL
CENTRALIVROS
Av. Cintura do Porto de Lisboa
Urbanizacao da Matinha A-2C
1900 Lisboa

PAYS-BAS
UITGEVERIJ EN BOEKHANDEL
VAN GENNEP BV
Spuistraat 283
1012 VR Amsterdam

SUÈDE
LONGUS BOOK IMPORTS
Box 30161
S - 10425 Stockholm

SUISSE
LIVRART S.A.
Z.I. 3 Corminboeuf
Case Postale 182
1709 Fribourg

TAIWAN
POINT FRANCE LIVRE
Diffusion de l'édition française
Han Yang Bd 7 F
374 Pa Teh Rd.
Section 2 - Taipei